Gramática en diálogo

María de los Ángeles Palomino

Nivel intermedio
A2-B1

PRESENTACIÓN

Esta obra tiene como objetivo presentar, de forma práctica y motivadora, las nociones gramaticales básicas del español, integrándolas en contextos reales de la comunicación en los cuatro ámbitos que recomienda el *Marco común europeo de referencia*: el personal, social, profesional y académico.

Además de en la clase, se puede utilizar para reforzar el aprendizaje autónomo, ya que se incluyen las soluciones de las actividades. Además, los diálogos que dan entrada a las unidades se encuentran en el CD de audio que acompaña al libro.

La gramática en diálogo se articula de la siguiente forma:
– Se presentan las nociones gramaticales en contextos reales, integrados en la comunicación habitual. Cada unidad se divide en cuatro páginas.
– En la primera se presenta el tema de gramática en contexto mediante un diálogo y un estímulo visual.
– En la segunda se encuentra la explicación y en las dos últimas se proponen variados ejercicios para poner en práctica los conocimientos adquiridos.
– Al final del libro, se incluye el solucionario de los ejercicios.

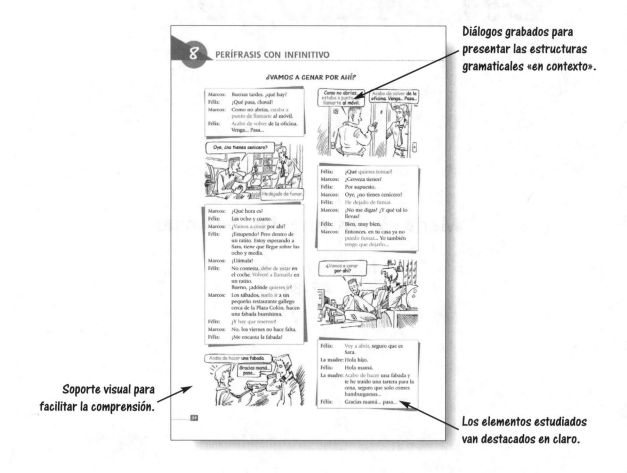

Diálogos grabados para presentar las estructuras gramaticales «en contexto».

Soporte visual para facilitar la comprensión.

Los elementos estudiados van destacados en claro.

Dirección editorial: Raquel Varela
Coordinación editorial: Brigitte Faucard
Diseño y ejecución de maqueta: Alinéa

Corrección: Cándido Tejerina
Ilustración: Jaume Bosch
Diseño de cubierta: DC Visual

Copyright: enCLAVE-ELE 2007 – ISBN: 978-84-96942-06-6 – Depósito legal: M-42537-2007
Impreso en España por Melsa – Printed in Spain by Melsa

Cuadros de gramática: recogen los temas introducidos en los diálogos.

PERÍFRASIS CON INFINITIVO 8

DEFINICIÓN

Las perífrasis con infinitivo se componen de:

verbo auxiliar	(+ preposición/ conjunción)	+ infinitivo
Vamos	a	salir.
Tenemos	que	llegar antes de las dos.
Suelo		ir al cine los sábados.

FORMAS

Formas	Indican...	Ejemplos
ir a + infinitivo	un futuro inmediato.	Voy a abrir, seguro que es Sara.
estar a punto de + infinitivo	la inminencia de una acción.	Estaba a punto de llamarte al móvil.
dejar de + infinitivo	la interrupción o el fin de una acción continua.	He dejado de fumar.
volver a + infinitivo	una repetición.	Volveré a llamarla en un ratito.
deber de + infinitivo	probabilidad.	No contesta, debe de estar conduciendo.
acabar de + infinitivo	el fin reciente de una acción.	Acabo de volver de la oficina.
tener que + infinitivo	necesidad, obligación.	Yo también tengo que dejarlo.
hay que + infinitivo	necesidad impersonal.	¿Y hay que reservar?
poder + infinitivo	posibilidad, permiso.	En tu casa ya no puedo fumar.
soler + infinitivo	acciones habituales.	Los sábados, suelo ir a un pequeño restaurante gallego.
querer + infinitivo	voluntad, deseo, ofrecimiento	¿Adónde quieres ir? ¿Qué quieres tomar?

USOS CON PRONOMBRES PERSONALES

- Reflexivos   me, te, se, nos, os, se
- De objeto directo   me, te, le/lo/la, nos, os, les/los/las
- De objeto indirecto me, te, le, nos, os, les

▶ Los pronombres pueden ir:

- Antes del verbo.
La voy a escuchar.   Lo debe de haber visto.
Me quiero sentar.   La acaba de hacer.
Las puedo ver.   La suelo llamar los lunes.
Lo he dejado de hacer. Nos tiene que llamar.
Te volveré a llamar.

- Después del infinitivo y unido a este.
Voy a escucharla.   Debe de haberlo visto.
Quiero sentarme.   Acaba de hacerla.
Puedo verlas.   Suelo llamarla los lunes.
He dejado de hacerlo. Tiene que llamarnos.
Volveré a llamarte.

86

Presentación de las reglas gramaticales básicas, formuladas en un lenguaje sencillo.

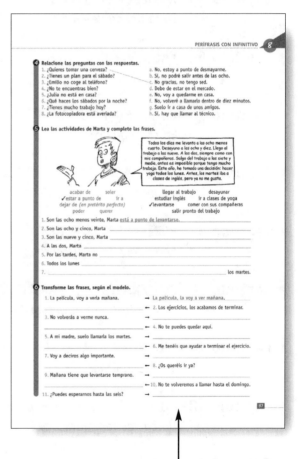

PERÍFRASIS CON INFINITIVO 8

4 Relacione las preguntas con las respuestas.
1. ¿Quieres tomar una cerveza?
2. ¿Tienes un plan para el sábado?
3. ¿Emilio no coge al teléfono?
4. ¿No te encuentras bien?
5. ¿Julia no está en casa?
6. ¿Qué haces los sábados por la noche?
7. ¿Tienes mucho trabajo hoy?
8. ¿La fotocopiadora está averiada?

a. No, estoy a punto de desmayarme.
b. Sí, no podré salir antes de las ocho.
c. No gracias, no tengo sed.
d. Debe de estar en el mercado.
e. No, voy a quedarme en casa.
f. No, volveré a llamarlo dentro de diez minutos.
g. Suelo ir a casa de unos amigos.
h. Sí, hay que llamar al técnico.

5 Lea las actividades de Marta y complete las frases.

> Todos los días me levanto a las ocho menos cuarto. Desayuno a las ocho y diez. Llego al trabajo a las nueve. A las dos, siempre como con mis compañeras. Salgo del trabajo a las siete y media, antes es imposible porque tengo mucho trabajo. Este año, he tomado una decisión: hacer yoga todos los lunes. Antes, los martes iba a clases de inglés, pero ya no me gusta.

acabar de   soler   llegar al trabajo   desayunar
✓estar a punto a   ir a   estudiar inglés   ir a clases de yoga
dejar de (en pretérito perfecto)   ✓levantarse   comer con sus compañeras
poder   querer   salir pronto del trabajo

1. Son las ocho menos veinte, Marta está a punto de levantarse.
2. Son las ocho y cinco, Marta _____
3. Son las nueve y cinco, Marta _____
4. A las dos, Marta _____
5. Por las tardes, Marta no _____
6. Todos los lunes _____
7. _____ los martes.

6 Transforme las frases, según el modelo.
1. La película, voy a verla mañana.   → La película, la voy a ver mañana.
                                          ← 2. Los ejercicios, los acabamos de terminar.
3. No volverás a verme nunca.   →
                                          ← 4. No te puedes quedar aquí.
5. A mi madre, suelo llamarla los martes. →
                                          ← 6. Me tenéis que ayudar a terminar el ejercicio.
7. Voy a deciros algo importante.   →
                                          ← 8. ¿Os queréis ir ya?
9. Mañana tiene que levantarse temprano. →
                                          ← 10. No te volveremos a llamar hasta el domingo.
11. ¿Puedes esperarnos hasta las seis? →

87

Gran variedad de ejercicios prácticos de aplicación graduados de menor a mayor dificultad.

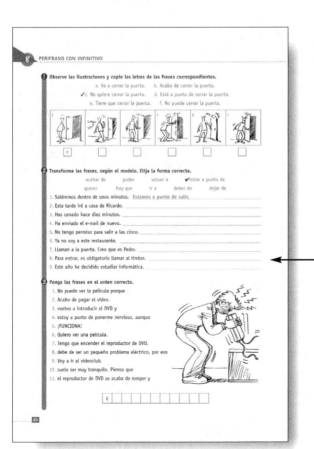

8 PERÍFRASIS CON INFINITIVO

1 Observe las ilustraciones y copie las letras de las frases correspondientes.
a. Va a cerrar la puerta.   b. Acaba de cerrar la puerta.
✓c. No quiere cerrar la puerta. d. Está a cerrar la puerta.
e. Tiene que cerrar la puerta. f. No puede cerrar la puerta.

c ☐   ☐   ☐   ☐   ☐

2 Transforme las frases, según el modelo. Elija la forma correcta.
acabar de   poder   volver a   ✓estar a punto de
querer   hay que   ir a   deber de   dejar de

1. Saldremos dentro de unos minutos. Estamos a punto de salir.
2. Esta tarde iré a casa de Ricardo. _____
3. Has cenado hace diez minutos. _____
4. Ha enviado el e-mail de nuevo. _____
5. No tengo permiso para salir a las cinco. _____
6. Ya no voy a este restaurante. _____
7. Llaman a la puerta. Creo que es Pedro. _____
8. Para entrar, es obligatorio llamar al timbre. _____
9. Este año he decidido estudiar informática. _____

3 Ponga las frases en el orden correcto.
1. No puedo ver la película porque
2. Acabo de pagar el vídeo.
3. vuelvo a introducir el DVD y
4. estoy a punto de ponerme nervioso, aunque
5. ¡FUNCIONA!
6. Quiero ver una película.
7. Tengo que encender el reproductor de DVD.
8. debe de ser un pequeño problema eléctrico, por eso
9. Voy a ir al videoclub.
10. suelo ser muy tranquilo. Pienso que
11. el reproductor de DVD se acaba de romper y

6 ☐ ☐ ☐ ☐ ☐ ☐ ☐ ☐ ☐ ☐

86

3

SUMARIO

- **Capítulo 1** SER Y ESTAR con adjetivos, expresiones 6
  En una reunión de antiguos alumnos

- **Capítulo 2** EL ADVERBIO 10
  Encuentros en la red

- **Capítulo 3** EL SUPERLATIVO 14
  Una avería

- **Capítulo 4** LOS RELATIVOS 18
  Contando chismes

- **Capítulo 5** LOS EXCLAMATIVOS 22
  En la tienda de regalos

- **Capítulo 6** LAS CONJUNCIONES 26
  En el restaurante

- **Capítulo 7** EL VERBO Y SU PREPOSICIÓN 30
  En el parque con los niños

- **Capítulo 8** PERÍFRASIS CON INFINITIVO 34
  ¿Vamos a cenar por ahí?

- **Capítulo 9** PERÍFRASIS CON GERUNDIO 38
  Encerrados en el ascensor

- **Capítulo 10** PERÍFRASIS CON PARTICIPIOS 42
  En un atasco en la autopista

- **Capítulo 11** ORACIONES IMPERSONALES 46
  Salimos a cenar

- **Capítulo 12** CONTRASTE pretérito perfecto/pretérito indefinido 50
  Un balneario "fantástico"

- **Capítulo 13** EL PRETÉRITO IMPERFECTO 54
  Una abuela jovencísima

- **Capítulo 14** CONTRASTE pretérito imperfecto/pretérito indefinido:
  relatar acontecimientos pasados 58
  En la empresa

- **Capítulo 15** EL PRETÉRITO PLUSCUAMPERFECTO 62
  ¡Qué semana!

- **Capítulo 16** EL IMPERATIVO NEGATIVO, verbos regulares 66
  En el médico

• **Capítulo 17**   **EL IMPERATIVO NEGATIVO, verbos irregulares** 70
En la ciudad

• **Capítulo 18**   **EL IMPERATIVO NEGATIVO con pronombres personales** 74
Preparando una riquísima paella

• **Capítulo 19**   **EL FUTURO, verbos regulares, usos (1):**
hablar de acciones futuras y hacer predicciones 78
La vidente

• **Capítulo 20**   **EL FUTURO, verbos irregulares, usos (2):**
expresar probabilidad en el presente 82
Una visita inesperada

• **Capítulo 21**   **EL CONDICIONAL** 86
Probándose ropa para una boda

• **Capítulo 22**   **EL PRESENTE DE SUBJUNTIVO,**
verbos regulares e irregulares (1), usos (1) 90
En el parque de atracciones

• **Capítulo 23**   **EL PRESENTE DE SUBJUNTIVO, verbos irregulares (2), usos (2)** 94
En el tren

• **Capítulo 24**   **EL PRESENTE DE SUBJUNTIVO, usos (3)** 98
La sorpresa

• **Capítulo 25**   **EL PRESENTE DE SUBJUNTIVO, usos (4):**
expresar opiniones, valoraciones y sentimientos 102
El despido

• **Capítulo 26**   **EL PRESENTE DE SUBJUNTIVO, usos (5):**
dar una opinión, expresar condiciones 106
Comprando ropa

• **Capítulo 27**   **EL IMPERFECTO DE SUBJUNTIVO** 110

• **Capítulo 28**   **CONTRASTE DE USO presente de subjuntivo/**
pretérito imperfecto de subjuntivo 114
El examen

• **Capítulo 29**   **EL ESTILO INDIRECTO (1): transmitir preguntas** 118

• **Capítulo 30**   **EL ESTILO INDIRECTO (2): transmitir una información,**
una orden, un consejo... 122
Un nuevo novio

SOLUCIONARIO 126

EN UNA REUNIÓN DE ANTIGUOS ALUMNOS

El café está frío.

Pues los canapés están muy buenos. ¿Dónde está el cava?

Chico: El café está frío.
Chica: Pues los canapés *pasabocas* / *appetizers(fingerfood)* están muy buenos. ¿Dónde está el cava? - *sparkling wine.*
Chico: Mira, ahí. Oye, estoy muy aburrido, esta reunión es un rollo, yo me voy. ¿Te vienes?
Chica: No, yo me quedo un poco más.
Chico: ¿Estás segura?
Chica: Sí, quiero oír el discurso de Antonio... ¿Sabes a qué hora es?
Chico: Ah... Es que... ¿Hay un discurso?
Chica: Claro, es en el patio, creo, pero no sé a qué hora. ¡Quédate, venga! Es importante. *Stay, don't go*
Chico: Bueno... Vale, me quedo un rato más.. *OK en Spain*

Chico: ¿Tienes un cigarrillo?
Chica: Aquí no puedes fumar, está prohibido.
Chico: Vaya... ¿Por qué no ha venido Marta?
Chica: Me llamó ayer; estaba preocupada, su hija está mala. Además está de luto, se murió su tía. Cuando la llamé estaba muy triste.
Chico: ¡Vaya! Y su marido, *esposo* ¿ha encontrado ya trabajo?
Chica: No, no... Está en paro.
Chico: ¡Vaya! - *interjection...*

¿Tienes un cigarrillo?

Aquí no puedes fumar, está prohibido.

¡Qué va, está muy delgada!

Chico: ¡Cómo ha cambiado Marta! ¡Qué morena está y... qué guapa está con ese vestido!
Chica: ¡Qué va, está muy delgada!
Chico: Pues a mí me encanta esa chica; es muy guapa, alegre, lista, atenta...
Chica: Bueno...
Chico: ¿Qué te pasa, por qué estás callada? ¿Estás enfadada?
Chica: Nada... Nada...

¿Julia, qué haces? ¿Dónde estás?

Perdona... acabo de levantarme y... Estaré lista en diez minutos.

¡Date prisa! La reunión va a empezar.

Vale, vale...

SER	ESTAR
Cualidades o características **habituales** o **permanentes** de algo o de una persona.	Características o estados **temporales** de algo o de una persona.
– Marta es delgada. Marta es de constitución delgada.	– Marta está delgada. Porque está enferma.
– David es muy alegre. Siempre lo es.	– Hoy, Julio está alegre. Porque ha aprobado un examen.
– La nieve es fría. Siempre lo es.	– El café está frío. Porque se ha enfriado.
– Esta película es triste. Hace llorar.	– Marta está triste. Porque se ha muerto su gato.
– Marta es muy guapa. Tiene un rostro bonito.	– Está muy guapa con ese vestido. Ese vestido le sienta muy bien.
Para indicar el **momento** o el **lugar** en que se **desarrolla** un acontecimiento.	Para **localizar** en el **espacio**, un objeto, una persona, un lugar...
– El examen es en el aula 10.	– El patio 10 está enfrente de la cafetería.
– El discurso es a la una y media.	– Los invitados están en el salón.
– El discurso será en el patio.	– Los pasteles están sobre la mesa.
Algunos adjetivos tienen un significado diferente según se usen con **SER** o con **ESTAR**.	
– ser listo: ser inteligente.	– estar listo: estar preparado.
– ser moreno: tener el pelo negro.	– estar moreno: estar bronceado.
– ser rico: tener mucho dinero.	– estar rico: estar sabroso (un alimento).
– ser malo: ser mala persona, ser perjudicial, ser de mala calidad.	– estar malo: estar enfermo.
– ser bueno: ser buena persona, ser beneficioso, de buena calidad.	– estar bueno: estar sabroso.
– ser aburrido: no divertir.	– estar aburrido: no saber qué hacer.
– ser nuevo: que se ha fabricado recientemente.	– estar nuevo: que casi no se ha usado.
– ser atento: ser amable.	– estar atento: prestar atención.
– ser orgulloso: ser soberbio.	– estar orgulloso: sentir satisfacción.
– ser verde: ser de color verde.	– estar verde: no estar madura (una fruta).
– ser blanco: ser de color blanco.	– estar blanco: estar pálido.
– ser callado: ser poco hablador.	– estar callado: no decir nada.
– ser cerrado: que no acepta las ideas de los demás.	– estar cerrado: un libro, un cajón, una puerta, una tienda...
– ser seguro: no tener riesgos.	– estar seguro de: no tener dudas de.

(handwritten annotations: "courteous" next to "ser atento"; "arrogant; haughty" next to "ser orgulloso: ser soberbio"; "ripe" next to "estar verde")

▶ Expresiones con SER
- ser un rollo (familiar/para una cosa): ser muy aburrida.
- ser una tumba: saber guardar un secreto. *confidant*
- ser todo oídos: prestar atención.
- es que...: para introducir una explicación (familiar)
- con los adjetivos: lógico, necesario, imprescindible, importante, útil.

(handwritten annotation: "essential, indispensable" under "imprescindible")

▶ Expresiones con ESTAR
- estar de luto: sentir dolor por la muerte de alguien.
- estar en paro: no tener trabajo. *– unemployed*
- con los adverbios: bien, mal, y los adjetivos: permitido, prohibido, lleno, vacío, enfermo, preocupado, roto, enfadado, enamorado.

(handwritten annotation: "enojado / bravo" under "enfadado")

❶ Relacione.

1. Carlos es delgado.	a. Siempre se ríe.
2. El zumo no está frío.	b. Tiene una cara muy bonita.
3. Félix es muy alegre.	c. Los protagonistas mueren al final.
4. Este bebé es muy guapo.	d. Esta tarde me voy de vacaciones.
5. José está triste.	e. Pesa 60 kilos.
6. Bruno está delgado.	f. Sí, se ha cortado el pelo y le sienta muy bien.
7. Esta película es muy triste.	g. No ha aprobado el examen.
8. ¡Qué guapa está Patricia!	h. Trabaja demasiado y casi no come.
9. Estoy muy alegre.	i. ¿Quieres un cubo de hielo?

❷ Complete las preguntas con *ser* o con *estar* en presente de indicativo. Luego, indique la respuesta correcta.

a. En la calle Libreros. b. El lunes. c. Sobre la mesa. ✓d. En el aula 35.

e. A las tres. f. En el Teatro Real. g. En su habitación.

1. ¿Dónde ___es___ el examen de inglés? **d**

2. ¿Dónde _____ el niño?

3. ¿Dónde _____ la panadería?

4. ¿A qué hora _____ la reunión con el director?

5. ¿Dónde _____ los libros?

6. ¿Cuándo _____ la boda de Luis?

7. ¿Dónde _____ el concierto de música clásica?

❸ Conteste con *ser* o con *estar* en presente de indicativo.

1. ¿Carlos siempre saca buenas notas?	—Sí, ___es___ muy inteligente.
2. Hace mucho calor, ¿no?	—La ventana _____ cerrada.
3. ¿Por qué te quieres ir ya?	—_____ aburrida, la música no me gusta.
4. ¿Compro un kilo de peras?	—No, _____ verdes.
5. ¿Quieres un poco más de paella?	—Sí, por favor, _____ muy buena.
6. El gato ha roto el jarrón.	—¡Qué malo _____!
7. ¿Quieres ver esta película?	—No, _____ muy aburrida.
8. ¿Nos vamos ya?	—No, aún no (yo) _____ lista.
9. ¿Qué te parece el nuevo director?	—No me cae muy bien, _____ muy orgulloso.
10. ¿De qué color es tu nuevo coche?	—_____ blanco.

11. ¿Te gusta ir a casa de Alfonso?   —Sí, porque _____ muy <u>atento</u> conmigo.

12. ¿Qué le pasa a Andrea?   —No lo sé, pero _____ muy blanca.

13. ¿Te duele la cabeza?   —Sí, _____ malo.

14. Ahora, gira a la derecha.   —¿(tú)_____ seguro? Yo creo que hay que seguir recto.

15. El bebé nunca llora.   —_____ muy bueno.

16. ¿Cómo es la nueva secretaria?   —_____ morena.

4 **Observe las ilustraciones.**
Relacione cada frase con una ilustración y escriba *ser* o *estar* en la forma correcta.

① ② ③ ④

⑤ ⑥

⑦ ⑧

a. ¡Este pollo ___está___ muy bueno!   **2**

b. Los niños _____ <u>callados</u>.   ____

c. ¡Qué orgullosa _____ Antonia!   ____

d. ¡Qué morena _____ Consuelo!   ____

e. Julio _____ muy aburrido.   ____

f. ¡Qué malo _____ tu perro!   ____

g. Arturo _____ siempre muy atento con su novia.   ____

h. Marina aún no _____ lista.   ____

5 **Complete las frases con *ser* o *estar* (.....) y con las palabras de la lista (___).**

a. prohibido   b. un rollo   ✓c. vacía   d. permitido   e. necesario   f. enfermo

g. enfadado   h. importante   i. de luto   j. roto   k. útil

1. El aula 4 .....está..... ___c___, no hay nadie.

2. No te he llamado porque mi móvil .... ____.

3. Para ganar la final, ... ____ entrenarse mucho.

4. .... ____ girar a la izquierda.

5. Me voy a la cama, esta película .... ____.

6. .... ____ hablar varios idiomas para encontrar trabajo.

7. Hoy no he ido a trabajar, ... ____.

8. Álex no quiere hablar conmigo, ... ____.

9. Aquí, no .... ____ fumar.

10. Tienes que llamar a Pedro, ... ____.

11. Julián .... ____, su padre murió el mes pasado.

ENCUENTROS EN LA RED

> ¡No me digas! ¿Cómo se llama? ¿Cómo es? ¿Dónde vive...? Venga, cuéntame...

Rocío: Hola, Pilar.

Pilar: Hola... Tengo que contarte una cosita.

Rocío: ¿Sí? Dime, dime...

Pilar: Anteayer conocí a un chico estupendo, en el *chat*.

Rocío: ¡No me digas! ¿Cómo se llama? ¿Cómo es? ¿Dónde vive...? Venga, cuéntame... *tell me.*

Pilar: Santiago. Me mandó una foto, es muy guapo... mucho. Moreno, con gafitas... *gafas*

Rocío: ¡Vaya!

Pilar: Anoche chateamos hasta las tres de la madrugada. *horas 1, 2, 3, 4 AM*

Rocío: ¿Y qué tal?

Pilar: Bien... Parece majo, *guapo* me gusta mucho.

Rocío: ¿Y habéis quedado? *to agree to meet*

Pilar: Sí, hoy a las ocho, en una cafetería cerca de la Plaza Mayor.

Rocío: ¿La Colina?

Pilar: Sí.

Rocío: La conozco, he ido varias veces. Pues mañana me llamas y me cuentas, ¿vale?

Pilar: Claro... ¡Qué nervios!

A las nueve y media de la tarde...

Rocío: ¡Pilar! ¿Ya estás en casa? ¡Qué pronto!, ¿no? ¿Qué pasó? *how soon*

Pilar: Chica... un desastre... Mal, muy mal.

Rocío: ¡Qué me dices! *what are you saying? Surprise.*

Pilar: Eso... Quedamos a las ocho y llegó tarde, a las ocho y media. Y luego no era tan guapo como en la foto: calvo, *bald* con barba, odio los hombres con barba... ¡¡Era extremadamente feo!! Y era más bajo que yo, no me gustan nada los hombres bajos...

Rocío: No me lo puedo creer...¿Y eso no te lo dijo en el *chat*? *I can't believe it*

Pilar: ¡Qué va! Total, que entramos en la cafetería, nos sentamos y entonces va y me dice: "Bueno, invitas tú, ¿no?"

Rocío: No me lo puedo creer...

Pilar: Espera... espera... Que no acaba ahí la cosa... Después me dijo que estaba casado. Así que me tomé mi cerveza, me levanté y lo dejé plantado, sin pagar, por supuesto. Le dije que me iba al baño, y salí rápidamente por otra puerta.

Rocío: No me lo puedo creer...

Pilar: Pero acabo de conocer a otro...

Rocío: ¿Sí? Dime, dime...

Pilar: Es estupendo, guapísimo, interesantísimo... Se llama Julio, es arquitecto y tiene...

> Chica... un desastre... Mal, muy mal.

Los adverbios pueden clasificarse en varias categorías:

☞ Son palabras invariables y se usan para modificar el sentido de un **verbo** (*El profesor habla* **lentamente**.), un **adjetivo** (*Esta ciudad es* **muy** *grande*.) o un **adverbio** (**Casi** *nunca vamos al cine*.).

▶ **Adverbios de tiempo:** indican **cuándo** se desarrolla la acción.
- anteayer, ayer, anoche, hoy, mañana, pasado mañana, por la mañana, por la tarde, por la noche
- antes, ahora, después, luego, entonces, en breve, ahora mismo, de repente, más tarde, al mismo tiempo
- todavía, aún, ya, siempre/nunca, temprano, pronto/tarde...
- muchas veces, varias veces, a menudo, de vez en cuando, a veces, raras veces...

Adverbios en *-mente*: inmediatamente, frecuentemente, últimamente...

▶ **Adverbios de lugar:** indican **dónde** se desarrolla la acción.
abajo/arriba, delante/detrás, dentro/fuera, lejos/cerca, aquí/ahí/allí, a la derecha/a la izquierda, enfrente, alrededor, en algún lugar, en/por ninguna parte, en otra parte...

▶ **Adverbios de afirmación**
sí, cierto, claro, en efecto, por supuesto, sin duda...

Adverbios en *-mente*: verdaderamente, completamente, indudablemente, naturalmente, seguramente, precisamente, efectivamente...

▶ **Adverbios de negación**
no, nunca, jamás, apenas, tampoco, en absoluto, de ningún modo, de ninguna manera...

▶ **Adverbios de duda**
quizá(s), tal vez, acaso, a lo mejor...

Adverbios en *-mente*: posiblemente, probablemente...

▶ **Adverbios de cantidad:** indican **en cuánto** se desarrolla la acción.
bastante, mucho (1), demasiado, más, nada, poco, algo, muy (2), tan, tanto, menos, apenas, solo, al menos...

Adverbios en *-mente:* enormemente, extremadamente, excesivamente, solamente, aproximadamente...

(1) *Mucho* se usa después de los **verbos**:
    Juan **trabaja** *mucho*.
(2) *Muy* se usa delante de los **adjetivos** y **adverbios**:
    Lucas es **muy inteligente**. *Es* **muy tarde**.

▶ **Adverbios de modo:** indican **cómo** se desarrolla la acción.
así, bien/mal, deprisa/despacio, mejor/peor, adrede, a propósito, casi...

Adverbios en *-mente*: rápidamente, lentamente, cómodamente, educadamente, prudentemente...

Formación de los adverbios en *-mente*: se añade el sufijo *-mente* al femenino del adjetivo.
Si el adjetivo lleva **tilde**, el adverbio también.
• *lento > lenta* → *lenta**mente*** / *rápido > rápida* → *rápida**mente***
Cuando dos o más adverbios en **-mente** se siguen en una frase, solo el *último* lleva el sufijo.
• *El profesor habla lenta y clara**mente***.

1 Clasifique los adverbios.

demasiado *too much* delante nunca ✓despacio ayer abajo bastante adrede *enough on purpose* lejos pasado mañana
bien enfrente poco mal arriba apenas *hardly* algo ya tarde ahora aquí mucho

1. Modo	2. Tiempo	3. Lugar	4. Cantidad
despacio			

2 Complete cada serie con dos adverbios.

1. en efecto, claro, por supuesto, _____sin duda_____, _____

2. rápidamente, lentamente, cómodamente, _____, _____

3. extremadamente, solamente, aproximadamente, _____, _____

4. posiblemente, a lo mejor, tal vez, _____, _____

5. no, tampoco, en absoluto, _____, _____

3 Forme los adverbios en -mente.

1. claro	5. lento	9. rápido	13. probable
claramente	_____	_____	_____

2. solo	6. absoluto	10. prudente	14. fácil
_____	_____	_____	_____

3. fuerte	7. grave	11. egoísta	15. perfecto
_____	_____	_____	_____

4. normal	8. serio	12. amable	16. cortés *courteous*
_____	_____	_____	cortesmente

4 Diga lo contrario.

1. David **siempre** come a las dos. → Elena _____nunca_____ come a las dos.

2. José conduce **lentamente**. → Alfonso conduce _____

3. Julián trabaja **mucho**. → Álex trabaja _____

4. Sonia se acuesta **temprano**. → Leonor se acuesta _____

5. El cine está **lejos**. → La piscina está _____

6. John habla **bien** español. → Alison habla _____ español.

7. Mi casa tiene un jardín **delante**. → La casa de Pedro tiene un jardín _____

8. Voy al cine **raras veces**. → Pero voy al gimnasio _____

9. Marcos actuó **generosamente**. → Beatriz actuó _____

10. Deja tu abrigo **abajo**. → Y pon tus zapatos _____

5 Escriba los adverbios en *-mente* correspondientes.

1. con prudencia _prudentemente_	5. con cariño _____	9. con probabilidad _____	13. con comodidad _____
2. con dificultad _____	6. con claridad _____	10. con educación _____	14. con seriedad _____
3. con exceso _____	7. con precisión _____	11. con lentitud _____	15. con atención _____
4. con frecuencia _____	8. con amabilidad _____	12. con seguridad _____	16. con generosidad _____

6 Sustituya las palabras en negrita por un adverbio.

1. Llegaremos **dentro de dos días.** ___pasado mañana___   anteayer
2. Trabajas **once horas al día.** _____   cerca
3. Ven aquí **inmediatamente.** _____   tarde
4. Vivo **a pocos metros** de la Plaza Mayor. _____   en breve
5. Hablé con Eduardo **hace dos días.** _____   demasiado
6. Mañana saldremos de viaje **a primera hora.** _____   ✓pasado mañana
7. Estoy **al cien por cien** de acuerdo. _____   totalmente
8. Marcos conduce a **130 km/h.** _____   temprano
9. Ayer, salí del trabajo **a las nueve y media.** _____   deprisa
10. El tren llegará **dentro de muy poco tiempo.** _____   ahora mismo

7 Complete las frases con los adverbios de la lista.

✓a. anoche   b. por la tarde   c. tampoco   d. a menudo   e. nunca

f. despacio   g. enfrente   h. por supuesto   i. todavía   j. demasiado

1. _____Anoche_____ cenamos en casa de unos amigos.

2. Julio va al cine _____, le encantan las películas de aventuras.

3. ¿Dónde hay una librería? —Mire, hay una _____

4. ¿Cuándo vuelve Carlos de Portugal? —El lunes _____

5. ¿Te apetece salir esta noche con nosotros? —_____

6. Emilio es vegetariano, _____ come carne.

7. Me duele el estómago, he comido _____

8. No me gustan los guisantes. —A mí _____

9. Por favor, habla más _____, no entiendo lo que dices.

10. Espérame cinco minutos, _____ no estoy lista.

UNA AVERÍA

Hoy hace un día buenísimo.

Sí, la verdad que sí.

La una. Vamos bien. Mi madre nos espera a las dos. Vas a ver, te va a encantar, y hace una paella riquísima.

¿Qué es ese ruido extrañísimo?

No lo sé...

Para, para, ¡¡Qué sale humo del motor!! Es que... con este coche antiquísimo... ¡No me extraña!

Mariano: Voy a ver. Seguro que no es nada.

Manoli: Vale, pero date prisa, que nos está esperando mi madre.

Mariano: Pff... Facilísimo, esto lo arreglo en un minuto. Ya sabes que soy el mejor mecánico del barrio. Uuuy...

Manoli: ¿Qué pasa?

Mariano: Esto tiene muy mala pinta, malísima... No me gusta nada...

Manoli: Pues coge el móvil y llama a la grúa.

Mariano: Vaya, aquí no hay cobertura.

Manoli: ¿No hay cobertura? ¿Qué hacemos?

Mariano: Tranquila... Seguro que va a pasar un coche.

Manoli: ¿Seguro?

Mariano: Que sí, segurísimo.

Dos horas después...

Manoli: Por aquí no pasa nadie. Es tardísimo y mi madre... que nos está esperando para comer.

Mariano: Podemos ir a la última gasolinera andando, a pedir una grúa.

Manoli: ¡Pero qué dices! Está lejísimos, la gasolinera más próxima que hemos visto está por lo menos a cinco kilómetros.

Mariano: Voy yo, y tú me esperas aquí.

Manoli: ¡Ni loca, no pienso quedarme sola aquí! Y mi madre... seguro que está preocupadísima.

Voy a mirar el motor.

¡¡Con que tú eres el mejor mecánico del barrio!!

¿Qué pasa?

¡Que no tiene agua!

Voy a ver si ya hay cobertura.

Ya... para llamar a tu madre, ¿no?

EL SUPERLATIVO ABSOLUTO

Adjetivos o adverbios terminados en consonante + **ísimo** / **ísima**	Adjetivos o adverbios terminados en vocal - vocal + **ísimo** / **ísima**
fácil → facil**ísimo** difícil → dificil**ísimo**	seguro → segur**ísimo** mala → mal**ísima** tarde → tard**ísimo**

▶ **Formas con modificaciones ortográficas**
- g → **gu**
  largo → lar**gu**ísimo, larga → lar**gu**ísima
- c (+ a/o) → **qu**
  cerca → cer**qu**ísima
  rico → ri**qu**ísimo
- z → **c**
  feliz → feli**c**ísimo

▶ **Formas irregulares**

antiguo → antiquísimo   amable → amabilísimo
pobre → paupérrimo   joven → jovencísimo
limpio → limpísimo   amplio → amplísimo – spacious (opuesto: pequeñísimo.)
lejos → lejísimo/lejísimos   fiel → fidelísimo

EL SUPERLATIVO RELATIVO

Se usa para destacar una característica de una persona, lugar o cosa con relación a otras de su mismo grupo.

el / los la / las	Ø nombre	más menos	adjetivo	que + frase

*La gasolinera **más próxima que** hemos visto.*
cerca

el / los la / las	Ø nombre	mejor peor	adjetivo	de + nombre

*Mariano es **el mejor mecánico del** barrio.*

▶ **Formas irregulares**
- bueno, buena → mejor
- malo, mala → peor

1 Escriba el superlativo absoluto de cada adjetivo (en masculino).

1. claro _clarísimo_	5. elegante	9. rico	13. joven
2. fácil	6. amable	10. feo	14. feliz
3. simpático	7. malo	11. amplio	15. tímido
4. ancho	8. difícil	12. blanco	16. largo

2 Complete con un superlativo.

1. Andrés siempre saca muy buenas notas.   Es ____inteligentísimo____   carísimos
2. La farmacia está a treinta metros.   Está _____   riquísima
3. Mi abuelo tiene 58 años.   Es _____   cerquísima
4. Me encanta esta paella.   Está _____   cansadísimo
5. El bebé nunca llora.   Es _____   grandísima
6. Mi casa tiene 230 m².   Es _____   ✓ inteligentísimo
7. La película dura casi tres horas.   Es _____   delgadísima
8. Estos zapatos cuestan 250 euros.   Son _____   jovencísimo
9. Elena esta enferma, peso 49 kilos.   Está _____   larguísima
10. Lucas ha jugado al fútbol toda la tarde.   Está _____   buenísimo

3 Describa cada ilustración usando un superlativo.

1. La torre es _altísima._   2. La película es _____   3. El café está _____   4. La película es _____

5. Alicia es _____   6. La mesa está   7. Las naranjas están _____   8. El avión es

están _____

aburridísima
rapidísimo
limpísima
guapísima
malísimo
✓ altísima
baratísimas
divertidísima

4 a. Escriba los adjetivos y complete las dos partes de cada frase.

rico   bonita   aburridas   ✓interesante   rápidos   simpática   fácil   divertido

1. El Louvre es el museo más _____interesante_____
2. Esta es la canción más _____
3. Sonia es la persona más _____
4. Estas son las revistas más _____
5. Es el programa de televisión más _____
6. El AVE es uno de los trenes más _____
7. El turrón es el dulce más _____
8. Este es el ejercicio más _____

a. que conozco.
b. que he comido.
c. que hemos visto.
d. que hemos hecho.
e. que he visitado.
f. que existen en el mundo.
g. que he leído.
h. que he oído.

b. Ahora, conteste personalmente.

1. ¿Cuál es la ciudad más bonita que ha visitado?
2. ¿Cuál es la película más divertida que ha visto?
3. ¿Cuál es el plato más rico que ha comido?
4. ¿Cuál es el libro más apasionante que ha leído?
5. ¿Cuál es el viaje más largo que ha hecho?
6. ¿Cuál es la ropa más elegante que se ha puesto?
7. ¿Cuál es el monumento más impresionante que ha visto?
8. ¿Cuál es la persona más graciosa que conoce?
9. ¿Cuál es el objeto más caro que ha comprado?
10. ¿Cuál es el museo más curioso que ha visitado?

5 ¿Sabe contestar a estas preguntas?

1. ¿Cuál es la ciudad más grande de Hispanoamérica? _____México_____   el Tajo
2. Nombre una de las pinacotecas más importantes del mundo. _____   el guepardo
3. ¿Cuál es el río más largo de la península Ibérica? _____   El Hierro
4. ¿Cuál es la isla más pequeña de Canarias? _____   ✓México
5. ¿Cuál es el libro más famoso de Cervantes? _____   El Prado
6. ¿Cuál es el animal más rápido de la Tierra? _____   la ballena
7. ¿Cuál es el animal más gordo de los océanos? _____   El Quijote

CONTANDO CHISMES

Sara acaba de incorporarse a una nueva empresa. Durante la comida, su compañera Andrea le habla de las personas *con las que* va a trabajar.

Andrea: ¿Ves el chico que está junto a la ventana?

Sara: Sí, ¿el moreno?

Andrea: No, el moreno no, el que lleva una camisa de cuadros.

Sara: Sí... Sí...

Andrea: Trabaja en administración y está saliendo con Marta.

Sara: ¿Marta?

Andrea: Sí, la chica de la que te hablé ayer, la que trabaja en financiero.

Sara: Ya... Ya caigo.

Andrea: ¿Y ves aquella chica de pelo largo y rizado?

Sara: Sí, con la que fuimos a cenar el miércoles.

Andrea: Pues es la hermana de José.

Sara: José, ¿el chico que hemos visto esta mañana en el despacho de Antonio?

Andrea: Ese... Y mira... ¿Ves la chica con quien está hablando?

Sara: Eh... Sí.

Andrea: Es Elena, la directora de *marketing*.

Sara: Sí... La conozco. Comí con ella ayer.

Andrea: Anda, cuéntame lo que te dijo.

Sara: No... Nada, nada...

Andrea: Anda... Cuéntame...

Sara: Bueno... Verás, resulta que...

QUE

Se usa para referirse a personas, animales o cosas ya mencionados. Puede ser:

▶ **Sujeto**
*¿Ves el chico **que** está junto a la ventana?*

▶ **Complemento**
*El chico **que** hemos visto esta mañana.*
_{D.O}

EL/LOS QUE – LA/LAS QUE

^{avoid}   ^{agree}
Se usan para evitar repetir un nombre (persona, animal o cosa) ya mencionado y concuerdan en número y género con este. En muchas ocasiones, sirven para seleccionar entre varios elementos.
*Está saliendo con Marta, **la que** trabaja en financiero.*
*¿El moreno? —No, el moreno no, **el que** lleva una camisa de cuadros.*

PREPOSICIÓN + EL/LOS QUE – LA/LAS QUE
PREPOSICIÓN + QUIEN/QUIENES

Se usan después de una proposición, y concuerdan en número y género
con el nombre al que sustituyen.
*La chica **con la que** fuimos a cenar el miércoles.*
*La chica **de la que** te hablé ayer.*

> Cuando el nombre al que sustituye el relativo es **una persona**, también se puede usar *quien/quienes*.
>
> *¿Ves **la chica** con la que está hablando?*
> = *¿Ves **la chica** con quien está hablando?*

LO QUE

Se usa para sustituir una idea, una afirmación, un concepto (es decir algo abstracto), nunca a nombres.
*Cuéntame **lo que** te dijo.*

4 LOS RELATIVOS

❶ Presente a cada persona, según el modelo.

un escritor español
una científica francesa
un arquitecto español
✓una indígena guatemalteca
un deportista español
un pintor español

Nacer en 1547 – Descubrir el radio – Pintar el *Guernica* –
Construir la Sagrada Familia de Barcelona –
Ganar cinco veces el Tour de Francia –
✓Recibir el Premio Nobel de la Paz en 1992

1. Rigoberta Menchú Es una indígena guatemalteca que recibió el Premio Nobel de la Paz en 1992.
2. Marie Curie _____
3. Miguel Induráin _____
4. Picasso _____
5. Cervantes _____
6. Gaudí _____

❷ Ordené las palabras.

1. esta / productos / calidad. / de excelente / tienda / son / Los / que vende
   Los productos que vende esta tienda son de excelente calidad.
2. que rueda / éxito. / Las / esta actriz / mucho / películas / tienen
3. divertidos. / que escribe / son / Los / este escritor / muy / cuentos
4. coche / muy / comprado / rápido. / El / que hemos / es
5. son / platos / que prepara / riquísimos. / Los / José
6. simpático. / el domingo / chico / es / El / que me presentaste / muy

❸ Una las dos frases usando un relativo, según el modelo.

1. Tengo un compañero de trabajo. Este compañero es muy servicial. – someone who is always ready to help.
   Tengo un compañero de trabajo que es muy servicial.
2. Te voy a dejar un CD. Este CD te va a gustar mucho.
3. Me he comprado un jersey azul. Este jersey me queda muy bien.
4. Ayer vimos una película muy buena. Cuenta la vida de Cristóbal Colón.
5. El sábado vamos a cenar a casa de un amigo. Este amigo prepara unas fabadas buenísimas.
6. Mañana te devolveré los libros. Me dejaste esos libros la semana pasada.

4 Complete con *El que, La que, Los que, Las que* y relacione las dos partes de cada frase.

1. ¿Qué comida te gusta?

2. ¿Quién es Lucía?

3. ¿Cuál es tu coche?

4. ¿Qué zapatos te vas a poner?

5. ¿Qué diccionario has comprado?

6. ¿Cuál es tu casa?

7. ¿Quién es Arturo?

8. ¿Qué ejercicios tenemos que hacer?

9. ¿Qué tartas habéis pedido de postre?

a. _____ está aparcado delante del hotel.

b. _____ tiene las ventanas verdes.

c. _____ nos recomendó el profesor.

d. _____ dio la profesora ayer.

e. ___La que___ prepara mi madre.

f. _____ compré ayer.

g. _____ está hablando con Pedro.

h. _____ trabaja en *marketing*.

i. _____ están en la carta.

5 Haga preguntas a una amiga, según el modelo y usando un relativo.

1. Ayer, su amiga compró unos zapatos **en** una tienda muy bonita.

¿Cuál es la dirección de la tienda **en la que compraste los zapatos** _____?

2. El hermano de su amiga trabaja **para** una empresa canadiense.

¿Cómo se llama la empresa canadiense _____?

3. El martes fue al restaurante **con** un chico rubio.

¿Quién es el chico rubio _____?

4. Ayer Julia me habló **de** una nueva compañera de trabajo.

¿Cómo es la nueva compañera de trabajo _____?

5. Va **a** una casa rural todas las Navidades.

¿Dónde está la casa rural _____?

6. El sábado jugó un partido de fútbol **contra** unos compañeros de trabajo.

¿Cuáles son los compañeros de trabajo _____?

6 Termine las frases, personalmente.

2. Lo·que más me interesa cuando veo el telediario es

_____

1. Lo que más me gusta de mi mejor amigo es

_____

3. Lo que no soporto en una persona es

_____

5. Lo que me molesta en el trabajo es

_____

4. Lo que más me hace reír es

_____

6. Lo que más me preocupa en el mundo es

_____

EN LA TIENDA DE REGALOS

Patricia:	¡Cuántos frascos!
Eduardo:	Sí.
Patricia:	¡Mira qué frasco tan original!
Eduardo:	¡Pua! ¡Qué mal huele!
Patricia:	Entonces, ¿qué le compramos a tu madre? ¿Te gusta este joyero pequeño?
Eduardo:	¡Qué feo!
Patricia:	Bueno, pues elige tú.

Consuelo:	¿Qué le regalamos a Elena por su cumpleaños?
Bea:	¡No sé!
Consuelo:	Aquí hay muchas cosas... Mira, ¡qué grande es este jarrón! ¡Cómo me gusta! A Elena también le encantan estos jarrones. ¿Qué te parece?
Bea:	A ver... ¡Uff! 90 euros, ¡qué caro! Mejor algo más baratito.

Se usan para expresar sentimientos: sorpresa, alegría, pena, miedo, desagrado, agrado, admiración, terror, cansancio, dolor...

LA EXCLAMACIÓN SE REFIERE A UN ADJETIVO

▶ **¡Qué** + adjetivo (+ verbo)!
¡Qué grande es este jarrón! = Este jarrón es muy **grande.**
¡Qué caro! = Es muy **caro.**

▶ **¡Qué** + nombre + **tan/más** + **adjetivo!**
¡Mira qué frasco tan original! = Este frasco es muy **original.**
¡Qué tienda más bonita! = Esta tienda es muy **bonita.**

LA EXCLAMACIÓN SE REFIERE A UN ADVERBIO

▶ **¡Qué** + **adverbio** (+ verbo)!
¡Qué mal huele! = Huele muy **mal.**

LA EXCLAMACIÓN SE REFIERE A UN NOMBRE

▶ Para indicar la **intensidad.**
   ¡Qué + **nombre** (+ verbo)!
¡Qué calor! = Hace mucho **calor.**

▶ Para indicar una **cantidad.**
   ¡Cuánto(s)/Cuánta(s) + **nombre** (+ verbo)!
¡Cuántas cosas! = Hay muchas **cosas.**
¡Cuántos jarrones hay aquí! = Aquí hay muchos **jarrones.**

LA EXCLAMACIÓN SE REFIERE A UN VERBO

▶ Para indicar la **intensidad.**
   ¡Cómo + **verbo** (+ sujeto)!
¡Cómo llueve! = Llueve mucho .
¡Cómo me gusta! = Me gusta mucho .

❶ Transforme las frases según el modelo.

1. ¡Qué bonito es este cuadro!   ¡Qué cuadro tan bonito!

2. ¡Qué feos son estos pantalones!   _____

3. ¡Qué guapa es esta niña!   _____

4. ¡Qué aburrido es este libro!   _____

5. ¡Qué simpáticas son estas chicas!   _____

6. ¡Qué originales son estos zapatos!   _____

❷ ¿Qué piensa o dice en cada situación? Relacione.

1. Un amigo le llama tres veces al día.   a. ¡Qué larga!

2. Una amiga tiene un nuevo corte de pelo que le sienta muy bien.   b. ¡Qué feo!

3. Está viendo una película cómica.   c. ¡Qué guapa!

4. Va al cine y la película dura tres horas.   d. ¡Qué goloso!

5. Su hermano le ha presentado un amigo, este amigo le cae muy bien.   e. ¡Qué rica!

6. En una tienda, la dependienta le enseña un jersey que no le gusta nada. f. ¡Qué pesado!

7. Está comiendo una paella en casa de una amiga.   g. ¡Qué divertida!

8. Un amigo suyo se ha comido tres pasteles de postre.   h. ¡Qué mentirosa!

9. Sabe que una amiga suya no dice la verdad.   i. ¡Qué simpático!

❸ Relacione. Escriba la frase correcta debajo de cada ilustración.

a. ¡Qué sed!   b. ¡Qué calor!   c. ¡Qué suerte!   ✓d. ¡Qué hambre!

e. ¡Qué frío!   f. ¡Qué miedo!   g. ¡Qué cansancio!

1. ¡Qué hambre!   2. _____   3. _____   4. _____

5. _____   6. _____   7. _____

4 **Reaccione: escriba los adverbios que faltan.**

a. tarde   b. despacio   ✓c. mal   d. cerca   e. deprisa   f. pronto   g. bien   h. lejos

1. Mi hija no sabe tocar la guitarra.

Es verdad, ¡qué ___mal___ toca!

2. Lucía canta como los ángeles.

Sí, ¡qué _____ canta!

3. El autobús va a diez km/h.

¡Qué _____ va!

4. El aeropuerto está a quince estaciones de metro.

¡Qué _____ está!

¡Qué _____ conduce!

5. El taxi llegará en diez minutos.

6. Ayer cenamos a las once menos veinte.

¡Qué _____ cenasteis!

7. El lunes llegué a la oficina a las siete y cuarto.

¡Qué _____ llegaste!

8. Mi amiga Antonia vive justo enfrente de mi casa.

¡Qué _____ vive!

5 **Forme frases, según el modelo.**

1. Alberto tiene veintidós amigos. ¡ _Cuántos amigos_ tiene!

2. Elena tiene dieciocho primas. ¡_____ tiene!

3. El perro se ha comido dieciséis galletas. ¡_____ se ha comido!

4. En esta calle hay mucho ruido. ¡_____ hay en esta calle!

5. He visitado quince países. ¡_____ has visitado!

6. En el concierto había mucha gente. ¡_____ había en el concierto!

6 **Transforme las frases usando el exclamativo *Cómo*.**

1. El gato de Alfonso come mucho.   ¡_Cómo come!_ _____

2. Me duele mucho la rodilla.   _____

3. Hoy ha nevado mucho.   _____

4. Me gusta mucho esta canción.   _____

5. Llueve mucho.   _____

7 **Complete las frases con *Qué, Cómo, Cuántos, Cuántas*.**

1. ¡ ___Qué___ contenta estoy! He aprobado el examen.

2. ¡_____ libros tienes!

3. ¡_____ me gusta la música clásica!

4. ¡_____ ciudad más bonita!

5. ¡_____ tarde vuelves hoy a casa!

6. ¡_____ me duele la cabeza!

7. ¡_____ coches hay en esta calle!

8. ¡_____ bonito es tu gato!

9. ¡_____ bien hablas inglés!

10. ¡_____ camisas tienes!

11. ¡_____ dolor de estómago!

EN EL RESTAURANTE

Aquí tienen la carta.

Muchas gracias. Todavía no sabemos qué vamos a tomar. ¿Nos trae unas copitas de vino blanco *mientras* elegimos?

Muy bien.

David:	¿Te apetece un postre?
Julia:	Sí... *Aunque* no tengo mucha hambre... *Pero* sí, me apetece mucho, me encantan los dulces. ¿Dónde está el camarero?
David:	Mira, ahí viene... Por favor...
Camarero:	Sí, dígame.
David:	¿Qué postres tienen?
Camarero:	Pues tenemos helado...
Julia:	¿De nata *y* fresa?
Camarero:	No, lo siento.
Julia:	¿De vainilla *o* de chocolate, tienen?
Camarero:	No, *ni* de vainilla *ni* de chocolate.
Julia:	¿Hay flan?
Camarero:	No, *pero* tenemos tarta de limón.
Julia:	No me gusta la tarta de limón. ¿Fruta?
Camarero:	*Si* le gusta la fruta tropical, le puedo ofrecer piña, papaya...
Julia:	No, no, gracias. Pfff... No sé... *Pues* tomaré un café con leche.
David:	*O sea*, que ya no quieres postre...

No, *ni* de vainilla *ni* de chocolate.

DEFINICIÓN

Las conjunciones son palabras que sirven para unir palabras u oraciones.

FORMAS

Forma	Significado	Ejemplos
y, e (ante i/hi)	Suman elementos.	*¿De nata **y** fresa?*
ni	Suma elementos negativos.	*No, **ni** de vainilla **ni** de chocolate.*
o, u (ante o/ho)	Presentan opciones.	*¿De vainilla **o** de chocolate, tienen?*
aunque, pero, ; sin embargo	Unen elementos, el segundo corrige al primero.	*Tomaré postre, **aunque** no tengo mucha hambre.* *No hay flan, **pero** tenemos tarta de limón.* *Es pequeña; **sin embargo**, es muy tranquila.*
es decir, o sea	El segundo elemento aporta una aclaración sobre el primero.	***O sea**, que ya no quieres postre...*
cuando (= en el momento en que) mientras (= al mismo tiempo)	Indican tiempo.	***Cuando** hemos llamado esta mañana su compañera nos ha dicho que sí.* *¿Nos trae unas copitas de vino blanco **mientras** elegimos?*
si	Expresa una condición.	***Si** le gusta la fruta tropical...*
por consiguiente, por lo tanto	Expresan una consecuencia.	*La terraza está reservada, **por consiguiente** no podemos ir.*
como*, porque, ya que	Indican causa.	***Como** solo son dos, les voy a poner junto a la ventana.* ***Ya que** no hay mesas libres, nos vamos...* *No me gusta, **porque** está demasiado cerca de la puerta.*

Handwritten annotations: "accent b/w 9 ő 11", "althoug", "however", "contributes", "that is", "clarification", "therefore", "since", "&c", "y"

> ☞ ***Como** siempre va al **principio** de la frase:*
> ***Como** no hay nada en la tele, me voy a la cama.*

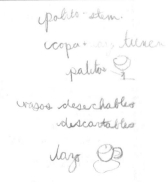

Handwritten notes: "palito-stem. ccopa + as tiene palitos, vasos desechables descartables, lazo"

❶ Complete con *o/u* o *y/e*.

1. ¿Cuándo te vas de vacaciones, en julio _____o_____ en agosto?

2. ¿Qué te apetece beber, una cerveza _____o_____ una copa de vino blanco? *que deseas*

3. El lunes fuimos al cine con Alberto _____e_____ Inés.

4. Me he comprado un jersey azul _____y_____ rojo.

5. ¿De dónde es Javier? —De La Coruña _____u_____ Orense, no me acuerdo.

6. Julio _____e_____ Isidro son hermanos.

7. Me encantan los helados de nata _____o_____ chocolate. *vainica*

❷ Termine las frases, según el modelo.

1. los tomates, los pepinos. No me gustan **los tomates ni los pepinos.**

2. París, Londres. No conocemos *París ni Londres*

3. italiano, alemán. Lucas no habla _____

4. de aventuras, de vaqueros. No me gustan las películas _____

5. a Lucía, a Sonia. No llamaremos _____

6. en metro, en autobús. No iréis _____

7. los zapatos, las sandalias. No comprarán _____

❸ Relacione las dos partes de cada frase.

1. David es italiano;
2. Me gustaría salir con vosotros b.
3. Tomaré un zumo de manzana f
4. Mi abuela está muy bien de salud a
5. Pablo no me cae muy bien; h
6. Estoy muy cansada; c
7. Vamos a la playa g
8. No tengo mucha hambre e
9. Me encantan los perros i

a. aunque tiene 95 años.
b. pero tengo que quedarme en casa.
c. sin embargo, no tengo sueño.
d. sin embargo, habla muy bien español.
e. pero saldré a cenar con vosotros.
f. aunque no tengo mucha sed.
g. aunque no hace mucho sol.
h. sin embargo, le invitaré a la cena.
i. pero no tengo, porque vivo en un piso. *aptº*

❹ Complete las frases con *cuando* o *mientras*.

1. Todos los días, _____cuando_____ llego a la oficina, me tomo un café con mis compañeros.

2. Nos gusta salir al campo _____cuando_____ hace bueno.

3. Los alumnos leen el texto _____mientras_____ escuchan el CD.

4. Ayer _____cuando_____ te llamé, tenías el móvil desconectado.

5. ¿Me ayudas a preparar la cena?

   —Vale, si quieres, pelo las patatas _____mientras_____ preparas el gazpacho. *sopa típica de Andalucía*

6. Vivía en Badajoz _____cuando_____ conocí a Pepe.

7. Leí una revista _____mientras_____ esperaba el autobús.

8. A Lucas le gusta cocinar _____mientras_____ ve la tele.

9. _____Cuando_____ vamos a este restaurante italiano, siempre pedimos lasaña.

10. El profesor corrige los exámenes _____mientras_____ los alumnos terminan el ejercicio.

5 Complete las frases con los verbos de la lista.

ir   venir   descansar   entrenarse   llevar   ✓pedir   comprar   matricularse   llamarme

1. Si no te gusta la carne, _____ pescado a la plancha.

2. Si quieres aprender inglés, _____ en una academia.

3. Si quieres ganar el partido, _____ más a menudo.

4. Si te duele mucho la cabeza, _____ al médico.

5. Si esta noche vas a salir tarde, _____ al móvil.

6. Si estás agotado, _____ todo el fin de semana.

7. Si vas a la fiesta de Consuelo, _____ una botella de cava.

8. Si te gusta la película, _____ con nosotros al cine.

9. Si vas al mercado, _____ un kilo de manzanas.

6 Transforme las frases. Use *por consiguiente, por lo tanto*.

1. El ejercicio está mal, por lo tanto lo tienes que hacer de nuevo. → El ejercicio está mal, por consiguiente lo tienes que hacer de nuevo.

2. Hemos cancelado la reunión, por consiguiente no firmaremos los contratos. ←

3. El profesor no ha venido hoy, por lo tanto no nos devolverá los exámenes. →

4. Llueve demasiado, por consiguiente vamos a anular el partido. ←

5. Juan no estudió lo suficiente, por lo tanto no aprobó el examen. →

6. Había huelga de metro, por consiguiente llegué tarde al trabajo. ←
(workers on strike)

7 Relacione y complete las frases.

1. Ayer no te llamé porque
2. Estoy muy cansado porque i
3. Ya que vas a salir, c
4. Hemos llegado tarde porque g
5. Ya que has venido, a
6. Julio está deprimido porque j
7. Como no me has llamado, b
8. Como no hace mucho frío, d
9. Ya que estás en el salón, h
10. Como mañana es fiesta, e

a. quédate a _comer_
b. he ido a casa de un _amigo_
c. compra _pan_
d. no me pongo el _abrigo_
e. iremos al _campo_
f. volví tarde a **casa.**
g. hay huelga de _autobuses_
h. apaga la _tele_
i. he tenido cuatro _reuniones_
j. no encuentra _trabajo_

abrigo
reuniones
autobuses
tele
amigo
campo
trabajo
casa ✓
pan
comer

EN EL PARQUE CON LOS NIÑOS

Niño... No te subas al árbol, que te vas a caer. Y no te acerques al agua, que te puedes caer.

Mami, ¡quiero ir a la piscina!

¡Aléjate del lago!

¿Quieres jugar a la pelota conmigo?

Tengo sed, te invito a una cerveza.

Vale, vamos al chiringuito.

Ayúdame a sacar el carrito del niño, que pesa mucho.

Belén: ¿Te has enterado de lo de Elena?

Rocío: No, ¿qué ha pasado?

Belén: Pues acaba de romper con Jesús.

Rocío: ¡Qué me dices! ¿No se iban a casar?

Belén: Sí, y está embarazada de dos meses.

Rocío: ¡Pero qué me dices!

Belén: Y por si fuera poco, la han despedido del trabajo y se ha enfadado con su hermano.

Rocío: ¡Qué me dices! Siempre se ha llevado muy bien con él.

Belén: Ya ves...

Rocío: ¿Has hablado con ella últimamente?

Belén: No, es que no está en casa, no coge el teléfono...

¿Te has enterado de lo de Elena?

No, ¿qué ha pasado?

A

acercarse **a** *un lugar, una persona*
acompañar **a** *una persona, un lugar*
asistir **a** *algo*
ayudar **a** *alguien*, **a** hacer *algo*
dar **a** la calle
dedicarse **a** *algo*
empezar **a** hacer *algo*
enseñar **a** hacer *algo*
estar **a** 15 de junio
estar **a** favor de *algo*
girar **a** la izquierda, girar **a** la derecha
invitar **a** *algo*
ir **a** *un lugar*
ir **a** pie
jugar **al** ajedrez, **a** las cartas, **al** fútbol, **al** baloncesto...
llamar **a** la puerta
llegar **a** un lugar
montar **a** caballo
negarse **a** hacer *algo*
oler **a** *algo*
parecerse **a** *alguien*
referirse **a** *algo*
saber **a** menta
subir(se) **a** *un lugar*
torcer **a** la izquierda, **a** la derecha
traducir **al** español

CON

casarse **con** *alguien*
cerrar **con** llave
comparar **con** *algo*, **con** *alguien*
competir **con** *algo*, **con** *alguien*
comunicarse **con** *alguien*
cumplir **con** sus compromisos, **con** su palabra
enfadarse **con** *alguien*
freír **con** aceite
hablar **con** *alguien*
llevarse bien/mal **con** *alguien*
romper **con** *alguien*
soñar **con** *alguien*, **con** *algo*

DE

acabar **de** hacer *algo*
acordarse **de** *algo*, **de** *alguien*
alegrarse **de** *algo*
alejarse **de** *un lugar*, **de** *alguien*
alimentarse **de** *algo*
aprovecharse **de** *algo*, **de** *alguien*
arrepentirse **de** *algo*
caerse **de** *un lugar*
constar **de** *diferentes elementos*
dejar **de** hacer *algo*

despedirse **de** *alguien*
disfrazarse **de** *algo*
disfrutar **de** *algo*, **de** *alguien*
dudar **de** *algo*, **de** *alguien*
enamorarse **de** *alguien*
enterarse **de** *algo*
estar (embarazada) **de** dos meses
estar **de** vacaciones
examinarse **de** inglés
hablar **de** *algo*
irse **de** vacaciones
olvidarse **de** *algo*
reírse **de** *alguien*
saber **de** memoria
tener ganas **de** hacer *algo*

EN

bañarse **en** *un lugar*
colgar **en** la pared
confiar **en** *alguien*
creer **en** *algo*, **en** Dios
estar **en** casa
ir **en** bici, **en** moto, **en** coche, **en** autobús, **en** tren, **en** metro, **en** avión
mirarse **en** el espejo
montar **en** bici
pagar **en** efectivo
participar **en** *algo*
pensar **en** *algo*, **en** *alguien*

ENTRE

elegir **entre** varios elementos

PARA

servir **para** *algo*

POR

caerse **por** la ventana
comunicarse **por** e-mail, **por** carta, **por** teléfono
felicitar **por** *algo*
interesarse **por** *alguien*, **por** *algo*
mirar **por** la ventana
multiplicar **por** dos
pasar **por** *un lugar*
pasear **por** *un lugar*
preocuparse **por** *algo*, **por** *alguien*
salir **por** la tele

SOBRE

reflexionar **sobre** *algo*

❶ Relacione y complete las frases.

Burgos   cenar   ejercicio   derecha   marzo   inglés   ajedrez   ✓cine   madre   reunión

1. ¿Me acompañas
2. ¿Me ayudas
3. Juan se parece mucho
4. El tren llega
5. Mañana tenemos que asistir
6. ¿Nos invitas
7. Tengo que traducir el texto
8. Hoy estamos
9. ¿Quieres jugar
10. Tienes que girar

a. a _____ en una pizzería?
b. al _____
c. a tres de _____
d. a _____ a las cinco.
e. al ___cine___ a ver una película de acción?
f. a una _____ con el jefe de personal.
g. al _____ conmigo?
h. a la _____ por la calle del Pacífico.
j. a su _____
k. a terminar el _____?

❷ Ordene las palabras.

1. acordado / de / fin / me he / ti. / de / Este / semana / mucho
   <u>Este fin de semana me he acordado mucho de ti.</u>

2. agosto. / el / de / hasta / de / vacaciones / Estamos / 20
   _____

3. italiano. / examina / semana / Arturo / se / La / viene / de / que
   _____

4. de / casa. / quedarme / no / tengo / Hoy / en / ganas
   _____

5. consta / de / El / he / capítulos. / que / doce / libro / comprado
   _____

6. amigos. / despido / de / irme / me / de / Antes / mis
   _____

7. hermana / embarazada / tres / Beatriz / de / meses. / está / Mi
   _____

8. vacaciones / a / ¿Cuándo / de / os / Argentina? / vais
   _____

9. a / llamar / amigo. / he / olvidado / de / un / Me
   _____

❸ Complete con con, en o por.

1. No te preocupes ___por___ mí.
2. Para hacer la tortilla, primero tienes que freír las patatas _____ aceite de oliva.
3. Siempre vamos a Zaragoza _____ AVE.
4. Álex se ha casado _____ Andrea.
5. Antes de salir, cierra la puerta _____ llave.

6. Te felicito _____ tu ascenso.

7. ¿Por qué te has enfadado _____ Andrés?

8. Cuando nieva, me gusta mirar _____ la ventana.

9. Luis va a participar _____ un concurso y va a salir _____ la tele.

10. Mi hermano pequeño aún no sabe montar _____ bici.

4 **Clasifique las palabras en la tabla. Algunas pueden ir en varias columnas.**

la playa e-mail deporte ✓un río una fiesta teléfono una reunión una amiga el monte
un familiar música un compañero un taller un lago cine la piscina el campo carta

bañarse en	participar en	despedirse de	hablar de
un río			

pasear por	comunicarse por	hablar con	llevarse bien con

5 **Escriba la letra de la respuesta correcta y añada la preposición que falta.**

a. moto.   b. quemado.   ✓c. un patio.   d. las cartas.   e. plegar papel.

f. la ventana de la habitación   g. tres.   h. la pared del salón.   i. nadie.

1. ¿A qué da el comedor de tu nuevo piso? __A/c__

2. ¿Dónde has colgado el cuadro? _____

3. ¿Por cuánto se han multiplicado los beneficios? _____

4. ¿Adónde se ha subido el gato? _____

5. ¿Cómo vas al trabajo? _____

6. ¿De quién te ríes? _____

7. ¿A qué huele? _____

8. ¿A qué habéis jugado? _____

9. ¿Para qué sirve este aparato? _____

6 **Forme frases según el modelo. Elija la preposición correcta.**

1. enterarse / la noticia **Me he enterado de la noticia.**

2. caerse / la moto _____

3. estar / vacaciones en Japón _____

4. romper / Alfonso _____

5. ayudar / un amigo _____

6. ir a París / avión _____

7. pasar / tu casa esta mañana _____

8. empezar / estudiar alemán _____

9. cumplir / mis compromisos _____

10. dejar / fumar _____

11. estar / casa todo el fin de semana _____

12. mirar / la ventana _____

13. montar / bici con José _____

¿VAMOS A CENAR POR AHÍ?

Marcos:	Buenas tardes, ¿qué hay?
Félix:	¡Qué pasa, chaval!
Marcos:	Como no abrías, estaba a punto de llamarte al móvil.
Félix:	Acabo de volver de la oficina. Venga... Pasa...

Félix:	¿Qué quieres tomar?
Marcos:	¿Cerveza tienes?
Félix:	Por supuesto.
Marcos:	Oye, ¿no tienes cenicero?
Félix:	He dejado de fumar.
Marcos:	¡No me digas! ¡Y qué tal lo llevas?
Félix:	Bien, muy bien.
Marcos:	Entonces, en tu casa ya no puedo fumar... Yo también tengo que dejarlo...

Marcos:	¿Qué hora es?
Félix:	Las ocho y cuarto.
Marcos:	¿Vamos a cenar por ahí?
Félix:	¡Estupendo! Pero dentro de un ratito. Estoy esperando a Sara, tiene que llegar sobre las ocho y media.
Marcos:	¡Llámala!
Félix:	No contesta, debe de estar en el coche. Volveré a llamarla en un ratito. Bueno, ¿adónde quieres ir?
Marcos:	Los sábados suelo ir a un pequeño restaurante gallego cerca de la Plaza Colón; hacen una fabada buenísima.
Félix:	¿Y hay que reservar?
Marcos:	No, los viernes no hace falta.
Félix:	¡Me encanta la fabada!

Félix:	Voy a abrir, seguro que es Sara.
La madre:	Hola, hijo.
Félix:	Hola, mamá.
La madre:	Acabo de hacer una fabada y te he traído una tartera para la cena, seguro que solo comes hamburguesas...
Félix:	Gracias mamá... Pasa...

DEFINICIÓN

Las perífrasis con infinitivo se componen de:

verbo auxiliar	(+ preposición/ conjunción)	+ infinitivo
Vamos	*a*	**salir**.
Tenemos	*que*	**llegar** *antes de las dos.*
Suelo		**ir** *al cine los sábados.*

FORMAS

Formas	Indican...	Ejemplos
ir a + infinitivo	un futuro inmediato.	**Voy a** *abrir, seguro que es Sara.*
estar a punto de + infinitivo	la inminencia de una acción.	**Estaba a punto de** *llamarte al móvil.*
dejar de + infinitivo	la interrupción o el fin de una acción continua.	**He dejado de** *fumar.*
volver a + infinitivo	una repetición.	**Volveré a** *llamarla en un ratito.*
deber de + infinitivo	probabilidad.	*No contesta,* **debe de** *estar conduciendo.*
acabar de + infinitivo	el fin reciente de una acción.	**Acabo de** *volver de la oficina.*
tener que + infinitivo	necesidad, obligación.	*Yo también* **tengo que** *dejarlo.*
hay que + infinitivo	necesidad impersonal.	*¿Y* **hay que** *reservar?*
poder + infinitivo	posibilidad, permiso.	*En tu casa ya* **no puedo** *fumar.*
soler + infinitivo	acciones habituales.	*Los sábados,* **suelo** *ir a un pequeño restaurante gallego.*
querer + infinitivo	voluntad, deseo, ofrecimiento	*¿Adónde* **quieres** *ir?* ¿Qué **quieres** tomar?

USOS CON PRONOMBRES PERSONALES

- Reflexivos   me, te, se, nos, os, se
- De objeto directo   me, te, le/lo/la, nos, os, les/los/las
- De objeto indirecto   me, te, le, nos, os, les

▶ **Los pronombres pueden ir:**

- Antes del verbo.

La *voy a escuchar*   **Lo** *debe de haber visto.*
Me *quiero sentar.*   **La** *acaba de hacer.*
Las *puedo ver.*   **La** *suelo llamar los lunes.*
Lo *he dejado de hacer.*   **Nos** *tiene que llamar.*
Te *volveré a llamar.*

- Después del infinitivo y unido a este.

*Voy a escuchar***la**.   *Debe de haber***lo** *visto.*
*Quiero sentar***me**.   *Acaba de hacer***la**.
*Puedo ver***las**.   *Suelo llamar***la** *los lunes.*
*He dejado de hacer***lo**.   *Tiene que llamar***nos**.
*Volveré a llamar***te**.

❶ Observe las ilustraciones y copie las letras de las frases correspondientes.

a. Va a cerrar la puerta.   b. Acaba de cerrar la puerta.

✓c. No quiere cerrar la puerta.   d. Está a punto de cerrar la puerta.

e. Tiene que cerrar la puerta.   f. No puede cerrar la puerta.

| c | | | | | |

❷ Transforme las frases, según el modelo. Elija la forma correcta.

acabar de   poder   volver a   ✔estar a punto de

querer   hay que   ir a   deber de   dejar de

1. Saldremos dentro de unos minutos. **Estamos a punto de salir.** _____

2. Esta tarde iré a casa de Ricardo. _____

3. Has cenado hace diez minutos. _____

4. Ha enviado el e-mail de nuevo. _____

5. No tengo permiso para salir a las cinco. _____

6. Ya no voy a este restaurante. _____

7. Llaman a la puerta. Creo que es Pedro. _____

8. Para entrar, es obligatorio llamar al timbre. _____

9. Este año he decidido estudiar informática. _____

❸ Ponga las frases en el orden correcto.

1. No puedo ver la película porque

2. Acabo de pagar el vídeo.

3. vuelvo a introducir el DVD y

4. estoy a punto de ponerme nervioso, aunque

5. ¡FUNCIONA!

6. Quiero ver una película.

7. Tengo que encender el reproductor de DVD.

8. debe de ser un pequeño problema eléctrico, por eso

9. Voy a ir al videoclub.

10. suelo ser muy tranquilo. Pienso que

11. el reproductor de DVD se acaba de apagar y

| 6 | | | | | | | | | | |

4 **Relacione las preguntas con las respuestas.**

1. ¿Quieres tomar una cerveza?
2. ¿Tienes un plan para el sábado?
3. ¿Emilio no coge el teléfono?
4. ¿No te encuentras bien?
5. ¿Julia no está en casa?
6. ¿Qué haces los sábados por la noche?
7. ¿Tienes mucho trabajo hoy?
8. ¿La fotocopiadora está averiada?

a. No, estoy a punto de desmayarme.
b. Sí, no podré salir antes de las ocho.
c. No, gracias, no tengo sed.
d. Debe de estar en el mercado.
e. No, voy a quedarme en casa.
f. No, volveré a llamarlo dentro de diez minutos.
g. Suelo ir a casa de unos amigos.
h. Sí, hay que llamar al técnico.

5 **Lea las actividades de Marta y complete las frases.**

> Todos los días me levanto a las ocho menos cuarto. Desayuno a las ocho y diez. Llego al trabajo a las nueve. A las dos, siempre como con mis compañeras. Salgo del trabajo a las siete y media, antes es imposible porque tengo mucho trabajo. Este año, he tomado una decisión: hacer yoga todos los lunes. Antes, los martes iba a clases de inglés, pero ya no me gusta.

acabar de	soler		llegar al trabajo	desayunar
✓estar a punto de	ir a		estudiar inglés	ir a clases de yoga
dejar de *(en pretérito perfecto)*			✓levantarse	comer con sus compañeras
poder	querer			salir pronto del trabajo

1. Son las ocho menos veinte, Marta <u>**está a punto de levantarse.**</u>

2. Son las ocho y cinco, Marta _____

3. Son las nueve y cinco, Marta _____

4. A las dos, Marta _____

5. Por las tardes, Marta no _____

6. Todos los lunes _____

7. _____ los martes.

6 **Transforme las frases, según el modelo.**

1. La película, voy a verla mañana. → <u>**La película, la voy a ver mañana.**</u>

_____ ← 2. Los ejercicios, los acabamos de terminar.

3. No volverás a verme nunca. → _____

_____ ← 4. No te puedes quedar aquí.

5. A mi madre, suelo llamarla los martes. → _____

_____ ← 6. Me tenéis que ayudar a terminar el ejercicio.

7. Voy a deciros algo importante. → _____

_____ ← 8. ¿Os queréis ir ya?

9. Mañana tiene que levantarse temprano. → _____

_____ ← 10. No te volveremos a llamar hasta el domingo.

11. ¿Puedes esperarnos hasta las seis? → _____

ENCERRADOS EN EL ASCENSOR

Arturo: ¿Qué ha pasado?

Cristina: Se ha parado el ascensor. Esto no me gusta nada.

Arturo: Tranquila... Seguro que no es nada.

Un cuarto de hora más tarde...

Cristina: Llevamos esperando casi media hora. Arturo, ¡haz algo, por favor! Que me estoy poniendo nerviosa.

Arturo: Tranquila... Seguro que no es nada.

Cristina: Dale a ese botón rojo, ahí, el que lleva la campanita que parpadea.

Arturo: Que llevo dándole cinco minutos, tranquila.

Cristina: Pues sigue dándole, no pares. Arturo, que me estoy agobiando. ¡Haz algo! Deprisa.

Arturo: Tranquila... Seguro que no es nada.

Diez minutos más tarde...

Cristina: La campanita sigue parpadeando. Esto no me gusta nada.

Arturo: Tranquila, seguro que no es nada.

Cristina: Llama al 112 con el móvil.

Arturo: Eso estoy haciendo, pero aquí no hay cobertura.

Cristina: ¡Se ha ido la luz! Arturo, que me estoy mareando... No te veo. ¿Dónde estás? ¿Qué estás haciendo?

Arturo: Tranquila, mujer...

Cristina: ¡Que desastre de hotel! Primero el agua caliente, luego la comida, luego el aire acondicionado y ahora esto. ¡Socorro!

Hombre: ¿Pero qué hacen ustedes en el sótano del hotel?

Cristina: ¡Estamos en el sótano del hotel!

FORMACIÓN DEL GERUNDIO

▶ **Gerundios irregulares**

* decir   diciendo (1)
* dormir   durmiendo
* ir   yendo
* leer   leyendo
* oír   oyendo
* reír   riendo
* sonreír   sonriendo

	ESTAR + GERUNDIO	
yo	estoy	
tú	estás	
usted, él, ella	está	llamar → llamando
nosotros/as	estamos	hacer → haciendo
vosotros/as	estáis	escribir → escribiendo
ustedes, ellos, ellas	están	

▶ **Otros verbos**

(1) corregir, despedirse, divertirse, elegir, medir, mentir, pedir, repetir, seguir, servir, vestirse...

DEFINICIÓN

Las perífrasis con infinitivo se componen de:

verbo auxiliar	+ gerundio
Estamos	**cenando.**
Sigue	**lloviendo.**

FORMAS

Forma	Indican...	Ejemplos
estar + gerundio	acción en su transcurso.	Que *me estoy poniendo* **nerviosa.** ¿Qué *estás haciendo*?
seguir + gerundio	continuidad de una acción.	Pues *sigue dándole,* no pares. La campanita *sigue parpadeando.*
llevar + gerundio	Duración Hace ... que	*Llevamos esperando* casi media hora. = Hace casi media hora que estamos esperando. *Llevo dándole* cinco minutos. = Hace cinco minutos que le estoy dando.

Recuerde: | SEGUIR | sigo, sigues, sigue, seguimos, seguís, siguen |

USOS CON PRONOMBRES PERSONALES

– Reflexivos   me, te, se, nos, os, se
– De objeto directo   me, te, le/lo/la, nos, os, les/los/las
– De objeto indirecto me, te, le, nos, os, les

Si añadimos un **pronombre personal** al *gerundio*, tenemos que poner una *tilde* en la vocal de la *antepenúltima sílaba*:
Te estoy escuchando.   *Estoy escuchándote.*
La sigo mirando.   *Sigo mirándola.*
La llevamos viendo...   *Llevamos viéndola...*

▶ **Los pronombres pueden ir:**

– Antes de *estar/seguir/llevar*.
   Me estoy mareando.
   Te sigo esperando.

– Después del gerundio y unido a este.
   Estoy mareándome.
   Sigo esperándote.

1 Escriba los gerundios o infinitivos correspondientes.

1. trabajar _trabajando_	5. ir _____	9. caer _____	13. salir _____
2. pidiendo _____	6. volviendo _____	10. midiendo _____	14. sonriendo _____
3. traer _____	7. escribir _____	11. hacer _____	15. comer _____
4. leyendo _____	8. riendo _____	12. estudiando _____	16. decir _____

2 Relacione y escriba las frases según el modelo.

1. (Yo) ver — por el móvil. _____
2. (Ellos) escuchar — por Internet. _____
3. El profesor corregir — música. _____
4. (Tú) hablar — la tele. __Estoy viendo la tele._____
5. (Nosotros) navegar — un refresco. _____
6. El gato dormir — los ejercicios. _____
7. (Vosotras) beber — en bici. _____
8. (Yo) montar — en el sillón. _____

3 Complete las frases y transfórmelas según el modelo.

llover   salir   ✓ladrar   llorar   trabajar   jugar

1. ¿El perro todavía está __ladrando__? → ¿El perro sigue ladrando?_____

_____ ← 2. ¿El bebé todavía está _____?

3. ¿Todavía está _____ o hace sol? → _____

_____ ← 4. ¿Todavía están _____ al baloncesto?

5. ¿Luis todavía _____ con Elena? → _____

_____ ← 6. ¿María aún _____ en esa empresa?

4 Vuelva a escribir las frases usando _llevar + referencia temporal + gerundio_.

1. Hace dos años que vivimos en Bilbao. _Llevamos dos años viviendo en Bilbao._____

2. Hace tres meses que trabajo en esta oficina. _____

3. Hace tres semanas que Pedro estudia inglés. _____

4. Hace una hora que Elena habla por el móvil. _____

5. Hace diez minutos que esperas el autobús. _____

6. ¿Hace mucho tiempo que buscáis piso? _____

5 Calcule y complete frases usando *llevar* + *referencia temporal* + *gerundio* y los verbos de la lista.

1. Me gusta este libro, lo empecé a las dos.   *Estamos a 20 de marzo, son las cuatro de la tarde.*

   Llevo ____dos____ horas __leyendo__ .

2. Me cambié de casa el 20 de diciembre.

   Llevo _____ meses _____ en mi nueva casa.

3. Conocí a Arturo (mi novio) el 3 de marzo.

   Llevo _____ días _____ con Arturo.

4. La película empezó a las tres y veinte.

   Llevo _____ minutos _____ la película.

5. Soy profesor de español lengua extranjera en una academia.

   Empecé a trabajar el 20 de marzo del año pasado.

   Llevo _____ año _____ clases de español lengua extranjera.

6. Quiero estar en forma, me inscribí en un gimnasio el 6 de marzo.

   Llevo _____ semanas _____ al gimnasio.

dar
ir
salir
✓leer
ver
vivir

6 Cambie el pronombre de posición. ¡No olvide las tildes!

1. Te estoy mirando.

   Estoy mirándote.

2. Les seguimos mandando e-mails.

   _____

3. La llevas escuchando una hora.

   _____

4. Nos están sacando una foto.

   _____

5. ¿Me sigues queriendo?

   _____

6. Estoy escribiéndola.

   La estoy escribiendo.

7. Estamos siguiéndolos.

   _____

8. Llevamos haciéndolas una hora.

   _____

9. ¿Sigues entrenándote?

   _____

10. Está poniéndose un jersey.

   _____

7 Sustituya las palabras en azul claro por un pronombre, según el modelo.

1. Estamos esperando a Natalia.

   La estamos esperando.

   Estamos esperándola.

2. ¿Sigues escuchando la radio?

3. Llevamos media hora esperando a mis padres.

4. José lleva una hora haciendo la compra.

5. El profesor sigue corrigiendo el ejercicio.

6. Maite está ayudando a sus hijas con los deberes.

EN UN ATASCO EN LA AUTOPISTA

Alfonso: ¿Qué pasa? Llevamos parados veinte minutos.

Manoli: Tranquilo, ya sabes que aquí siempre se monta un atasco impresionante.

Alfonso: ¡Pues empezamos bien las vacaciones! Estoy harto de tanto tráfico. ¡Qué calor! Voy a poner el aire.

Manoli: No funciona.

Alfonso: ¿Sigue averiado? ¿Pero no llevaste el coche al taller?

Manoli: Estaba cerrado.

Alfonso: O sea, que vamos a pasar todo el verano sin aire acondicionado en el coche; pues empezamos bien. Voy a llamar a Pilar para decirle que llegaremos tarde. ¡Vaya, la batería del móvil está descargada! ¡Sí que empezamos bien!

Manoli: Tranquilo... Que estamos de vacaciones. Y no grites, que vas a despertar al niño.

Alfonso: Voy a ver qué pasa.

¿Sigue averiado? ¿Pero no llevaste el coche al taller?

Estaba cerrado.

Perdone, ¿sabe usted qué pasa?

La autopista lleva cortada media hora, creo que hay una manifestación de Ecologistas.

¡¡Pues vaya!!

¿Qué pasa?

Que no arranca...

¡Lo que faltaba!

Alfonso: ¡Una manifestación! ¡Empezamos bien!

Manoli: Tranquilo, no grites, que el niño sigue dormido. Ya verás, seguro que pronto llega la policía y...

Manoli: Ves...

Tres cuartos de hora más tarde...

Alfonso: ¡Casi una hora! Y seguimos parados...

Manoli: Mira, ya están avanzando los coches. Venga, arranca, que ya estoy cansada de tanto esperar.

Manoli: ¿Qué pasa?

Alfonso: Que no arranca...

Manoli: Pues sí que empezamos bien las vacaciones...

Alfonso: ¡Lo que faltaba!

FORMACIÓN DEL PARTICIPIO

▶ **Formas regulares**
- habl**ar** → habl**ado**
- com**er** → com**ido**
- dorm**ir** → dorm**ido**

> Los participios de los verbos en **-er** y en **-ir** con las **vocales a, e, o** antes de la terminación llevan una tilde en la **i**.
> - caer → ca**í**do
> - leer → le**í**do
> - traer → tra**í**do
> - o**í**r → o**í**do

▶ **Formas irregulares**

- abrir → **abierto**
- cubrir → **cubierto**
- decir → **dicho**
- descubrir → **descubierto**

- escribir → **escrito**
- hacer → **hecho**
- morir → **muerto**
- poner → **puesto**

- resolver → **resuelto**
- romper → **roto**
- ver → **visto**
- volver → **vuelto**

> Los verbos despertar, ensuciar, limpiar, llenar, soltar y vaciar tienen dos participios. El primero se usa en los tiempos compuestos y el otro en las perífrasis con participio.
>
> - despertar > despertado, **despierto**
> - ensuciar > ensuciado, **sucio**
> - limpiar > limpiado, **limpio**
> - llenar > llenado, **lleno**
> - soltar > soltado, **suelto**
> - vaciar > vaciado, **vacío**

DEFINICIÓN

Las perífrasis con participio se componen de:

verbo auxiliar	+ participio
El tráfico **lleva**	**cortado** *dos horas.*

FORMAS

Forma	Indican...	Ejemplos
estar + participio	resultado.	**Estoy harto** *de tanto tráfico.* **Estoy cansada** *de tanto esperar.* *¡La batería del móvil* **está descargada**!
llevar + participio	duración.	**Llevamos parados** *veinte minutos.* *La autopista* **lleva cortada** *media hora.*
seguir + participio	continuidad.	*El niño* **sigue dormido**. = *El niño todavía está dormido.* *Y* **seguimos parados**... = *Todavía estamos parados.* *¿***Sigue averiado**? = *¿Todavía está averiado?*

1 Forme frases según el modelo.

1. Voy a cerrar la ventana del comedor. → Un minuto más tarde...

   <u>La ventana está cerrada.</u>

2. ¡Cuidado, que vas a romper la cámara! → Y veinte segundos después...

   La cámara _____

3. Voy a hacer la cena. → Una hora después...

   La cena _____

4. El técnico está arreglando la fotocopiadora. → Y por la tarde...

   La fotocopiadora _____

5. La policía va a detener al ladrón. → Cuatro días después...

   El ladrón _____

6. La farmacia abrirá a las cinco. → A las seis y cuarto...

   La farmacia _____

7. Si no riegas la planta se va a morir. → Efectivamente, tres días después...

   La planta _____

2 Relacione.

1. Juan no puede dormir.   a. Está listo.
2. Ernesto ha trabajado muchísimo.   b. Está vacío.
3. Hay muchísima gente en el restaurante.   c. Está cansado.
4. Julio se ha vestido y se ha peinado.   d. Está limpio.
5. El móvil no funciona.   e. Está despierto.
6. En el bar, ya no hay nadie.   f. Está estropeado.
7. He lavado el jersey.   g. Está lleno.

3 Calcule y escriba frases según el modelo con los participios de los verbos de la lista.

enfadarse ✓parar terminar cerrar casarse averiarse

Estamos a 30 de abril, son las seis de la tarde.

1. Hay un atasco en la autopista desde las dos de la tarde.

   Los coches _____ **llevan parados cuatro** _____ horas.

2. Raquel y Antonio se casaron el 30 de enero.

   Raquel y Antonio _____ meses.

3. José y Felipe se pelearon el 12 de abril.

   José y Felipe _____ días.

4. El coche está en el taller desde el 15 de abril.

   El coche _____ semanas.

5. La tienda no ha abierto desde antes de ayer a las seis.

   La tienda _____ días.

6. La reunión se acabó a las tres.

   La reunión _____ horas.

4 Complete las preguntas, según el modelo.

ensuciar ✓dormir cerrar aparcar romper levantarse

enfriarse encender despertarse casarse

1. ¿El abuelo se ha despertado ya?   —No, <u>sigue dormido.</u>

2. ¿Has movido el coche?   —No, _____ delante del hotel.

3. ¿Has hecho la colada?   —Aún no, la ropa _____

4. ¿Pedro y Marta se han divorciado?   —No, _____

5. ¿El escáner está ya reparado?   —No, _____

6. ¿Has calentado ya la sopa?   —No, _____

7. ¿Han abierto ya las tiendas?   —No, _____

8. ¿Has apagado la luz?   —No, _____

9. ¿Se ha dormido ya el gato?   —No _____

10. ¿Se ha acostado ya la abuela?   —No, _____

5 Observe las ilustraciones y complete las frases con los participios más adecuados.

1. Vamos a cenar, la mesa está <u>puesta.</u>

2. Dos velas de la tarta siguen _____

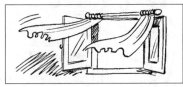

3. La ventana lleva una hora _____

4. David no puede ir al recreo, está _____

5. Está _____ aparcar en esta calle.

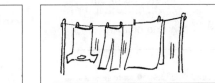

6. Acabo de hacer la colada, la ropa está _____

7. No quiere levantarse, sigue _____

8. El pollo todavía no está _____

9. El director lleva una hora _____ con un cliente.

10. Lleva dos días _____ en el hospital.

11. La botella de agua está _____

12. El coche de Jesús ya está _____

reunirse arreglar ingresar encender ✓poner abrir

tender asar castigar prohibir sentarse vaciar

SALIMOS A CENAR

Alfonso: ¿Qué hacemos? ¿Te apetece salir a cenar?

Óscar: Pues sí, y me apetece comer algo original. Pero son las nueve, todavía es un poco pronto, ¿no? Mejor sobre las nueve y media, que hace menos calor.

Alfonso: Perfecto. ¿Qué te parece un japonés o un mexicano?

Óscar: ¿Un mexicano? Estupendo.

Alfonso: Hay uno buenísimo en Gran Vía. Comí allí hace un par de meses con una amiga, pero creo que en verano está cerrado y, además, hay que reservar por los menos dos días antes, porque siempre hay mucha gente. Conozco otro en el que se come también muy bien, pero no recuerdo el nombre ni la dirección.

Óscar: No importa, la buscamos en Internet.

Alfonso: Vale.

Óscar: Voy a entrar en Google... Ya está. A ver...

Alfonso: Pon "restaurantes-mexicanos"+madrid.

Óscar: "restaurantes-mexicanos"+madrid
Está buscando.

Alfonso: ¡Cuánto tarda!

Óscar: Últimamente me da problemas el ADSL. Mientras tanto, saca unas cervezas de la nevera y unas patatitas; están en el armario, encima del fregadero.

Alfonso: Voy, pero solo cervezas, no me gustan mucho las patatas.

Hay uno **buenísimo** en Gran Vía. Comí allí hace un par de meses con una amiga.

Veinte minutos más tarde...

Óscar: ¿Otra cervecita?

Alfonso: No, gracias. Oye... ¡Internet!

Óscar: Ay sí... A ver... Hay cuatro restaurantes mexicanos.

Alfonso: A ver... **El Panchito** no, **El Guacamole**... sí, creo que era este. Voy a llamar.

Alfonso: Está cerrado por vacaciones.

Alfonso: Anda, ¡y ahora está lloviendo!

Óscar: No me apetece salir con este tiempo.

Alfonso: Ni a mí, ya ha anochecido. ¿Qué hacemos?

Óscar: ¿Quieres unas... patatitas?

Alfonso: ¿Patatitas? ¿No querías comer algo original?

Hay cuatro restaurantes **mexicanos**.

Son oraciones en las que
no se sabe quién realiza la acción
expresada por el verbo.

El verbo va conjugado en
tercera persona del singular.

VERBOS REFERIDOS A FENÓMENOS METEOROLÓGICOS Y NATURALES

▶ Llover, tronar, nevar, granizar; amanecer, anochecer.
*Ya **ha anochecido**.*
***Está lloviendo**.*

▶ Hacer frío, hacer calor, hacer sol, hacer bueno, hacer malo, hacer viento.
***Hace** menos **calor**.*

HACER + expresiones de tiempo

*Comí en ese restaurante **hace un par de meses** con una amiga.*

HABER

▶ Existencia   ***Hay cuatro** restaurantes mexicanos.*
***Hay uno** buenísimo en Gran Vía.*

▶ Obligación impersonal   ***Hay que reservar** por los menos dos días antes.*

SER + referencias temporales

*Todavía **es** un poco **pronto**.*
*Hoy **es viernes**.*
*Ya **es** demasiado **tarde**.*

Con "SE"

Se usan para hablar de algo en general y sin indicar el sujeto.

*En España **se cena** tarde.*
*Conozco otro en el que **se come** también muy bien.*
*En el restaurante mexicano **no se puede fumar**.*

1 **Complete las frases con las palabras de la lista.**

viento   sol   ✓bueno   calor   lloviendo   nevando   frío   granizando

1. Hace _____**bueno.**_____   2. Está _____   3. Hace _____   4. Hace mucho _____

5. Hace mucho _____   6. Está _____   7. Hace _____   8. Está _____

2 **Calcule y escriba frases según el modelo.**

> **Hoy es sábado 15 de mayo, son las 6 de la tarde.**

1. He hablado con Juan a las dos.   **He hablado con Juan hace cuatro horas.**_____

2. Vimos a Ernesto el miércoles pasado. _____

3. Cenaste con Raquel el 15 de marzo. _____

4. Me ha llamado Pepe a las seis menos cuarto. _____

5. Salimos con Nieves el 1 de marzo. _____

6. Encontré trabajo el año pasado por estas fechas. _____

3 **Observe el despacho y relacione las tres partes de cada frase.**

Sobre la mesa de trabajo   un ordenador.

A la derecha del ordenador   un móvil.

Delante del ordenador   unas tijeras, una goma, y dos cuadernos.

Sobre los cuadernos   hay   tres archivadores, un reloj y dos fotos.

En el suelo, junto a la mesa de trabajo   una papelera y un maletín de piel.

En el estante   tres libros y cuatro bolígrafos.

4 **¿Qué hay o no hay que hacer? Relacione y complete las frases.**

dormir   ✓comprar   abrocharse   hablar   tener   pararse   comer   dar

1. Antes de subir al autobús.

2. Para llevar una vida sana.

3. En el avión, antes de despegar.

4. En el zoo.

5. En el cine.

6. Para estar en forma por las mañanas.

7. Cuando el semáforo está en rojo.

8. Para navegar por Internet con tranquilidad.

a. Hay que _____ ocho horas.

b. Hay que _____

c. No hay que _____ de comer a los animales.

d. Hay que _____ en voz baja.

e. Hay que _____ el cinturón.

f. Hay que _____ mucha verdura.

g. Hay que __comprar__ un billete.

h. Hay que _____ un potente antivirus.

5 **Complete las frases con las palabras de la lista.**

primavera   Navidad   ✓pronto   jueves   temprano   lunes   tarde

1. Son las ocho de la tarde, todavía es muy __pronto__ para salir a cenar.

2. Mañana 21 de junio es _____.

3. Uff... Las once, es muy _____, me voy a la cama.

4. Son las seis y media, ¿por qué te levantas tan _____?

5. Hoy es 25 de diciembre, es _____.

6. ¿Qué día es hoy?

–Es _____ tres de marzo.

7. Hoy es miércoles y mañana es _____.

6 **Complete las frases con las expresiones del recuadro.**

se llega antes a la playa   Se vive muy bien   ✓se está muy bien   se tarda poco
no se permite entrar   se ve la Plaza Mayor   no se puede fumar   se celebra

1. En verano, __se está muy bien__ en esta terraza.

2. En metro _____ en ir al centro.

3. _____ en esta ciudad, es muy tranquila.

4. En los lugares públicos _____

5. Por esta carretera _____ porque hay menos coches.

6. El 12 de octubre _____ el día de la Hispanidad.

7. En este restaurante _____ sin corbata.

8. De la ventana de mi despacho _____

UN BALNEARIO "FANTÁSTICO"

Anabel: El fin de semana pasado estuve en un balneario en la Sierra de Guadarrama con Marina.

Silvia: En un balneario, qué bien, ¿no?

Anabel: No, chica, un desastre... Llegamos el sábado por la mañana y subimos a nuestras habitaciones; bueno, unas habitaciones sin aire acondicionado, un desastre... Luego fuimos a la piscina de burbujas.

Silvia: Piscina de burbujas... Eso tiene que ser superrelajante...

Anabel: Sí... Llena de niños gritando, el agua helada, el sistema de burbujas estropeado... Total que nos quedamos solo un cuarto de hora y nos fuimos a los baños de barro.

Silvia: Son muy buenos para la piel.

Anabel: Sí... Huelen fatal; a los cinco minutos, empecé a estornudar por el olor y empezaron a salirme unos granos en los brazos... Total que nos tuvimos que salir. Decidimos hacer aeróbic: ¡dos horas duró la sesión! Terminamos con unas agujetas tremendas.

Silvia: ¿Y los masajes?

Anabel: Sí, cinco minutos de masaje... A la una y media fuimos al comedor. Esperamos hasta las dos y media y, cuando llegó el camarero, nos puso una botellita de agua mineral y un plato con una patatita y una pechuga de pollo hervida y sin sal... Así que decidimos volver a la habitación, hacer las maletas y volver a Madrid.

Silvia: Pues vaya fin de semana.

Anabel: Y ahora estoy... Vamos, que me duele todo el cuerpo y mira qué granos. Oye, ¿aquella no es Pilar? ¡Pilar, Pilar!

Pilar: ¡Hola chicas! He estado toda la tarde de tiendas. He comprado un bañador, porque la semana pasada vi un anuncio sobre un balneario en Guadarrama con actividades fantásticas: piscina de burbujas, masajes, baños de barro, aeróbic... Visité su página en Internet y la verdad que... ¡genial! Esta mañana he llamado y ya he reservado para este fin de semana. Me vendrá bien, el mes pasado tuve muchísimo trabajo y necesito relajarme...

Anabel: En Guadarrama, dices... Y... necesitas relajarte...

Pilar: Anabel, qué mala cara tienes, ¿y esos granos? Necesitas relajarte, ¿eh? Trabajas demasiado. ¿Nunca has estado en un balneario? ¡Vente conmigo el sábado!

PRETÉRITO PERFECTO

▶ **Para hablar de acciones pasadas introducidas por:**
hoy
esta mañana, este mediodía, esta tarde, esta noche...
este fin de semana, esta semana, este mes, este verano, este año...
últimamente

Esta mañana he llamado.

▶ **Para hablar de experiencias que se han realizado con cierta frecuencia e introducidas por:**
nunca
una vez, dos veces, tres veces, cuatro veces...
pocas veces, alguna vez, algunas veces, muchas veces
todavía no*, aún* no
ya**

*¿**Nunca has estado** en un balneario?*
*Ya **he reservado** para el próximo fin de semana.*

> * Se usan en frases **negativas** y van:
> • antes de no   ***Aún** no he hablado con Pilar.*
> • después del participio o   *Pilar no ha ido **todavía** al balneario.*
>   al final de la frase   *Pilar no ha ido al balneario **todavía**.*
>
> ** Se usa en frases **afirmativas** y va
> • antes de haber   *Las dos amigas **ya** han ido a la piscina de burbujas.*
> • después del participio   *Pilar ha visitado **ya** la página web del balneario.*

PRETÉRITO INDEFINIDO

▶ **Para hablar de acontecimientos pasados introducidos por:**
el siglo pasado, el año pasado, el verano pasado, el mes pasado, la semana pasada, el fin de semana pasado...
en 1968, en 1973, en 1984, en 1999, en 2005...
el 15 de mayo, el 12 de julio, el 22 de octubre...
en enero, en febrero, en marzo...
el lunes, el martes, el miércoles..., el otro día
en verano, en primavera, en otoño, en invierno
hace dos años, hace tres meses, hace dos semanas, hace cuatro días...
anteayer, anoche, ayer

*El fin de semana pasado **estuve** en un balneario.*
Llegamos el sábado por la mañana.
*La semana pasada **vi** en una revista un anuncio sobre un balneario.*
*El mes pasado **tuve** muchísimo trabajo.*

❶ Clasifique las referencias temporales en la tabla.

✓a. ayer   b. esta mañana   c. este fin de semana   d. aún no   e. el martes   f. nunca

g. el otro día   h. el verano pasado   i. en julio   j. esta tarde   k. en 2005   l. anoche

m. este invierno   n. hace cuatro años   o. el 5 de enero   p. muchas veces   q. anteayer

1. Pretérito perfecto	2. Pretérito indefinido
	a,

❷ Ordene los pasos y ponga los verbos en pretérito perfecto.

Esta mañana, Marcos ha ido a comprar comida...

___ a. (Pasar) _____ delante de un bar y (decidir) _____ entrar a tomarse una caña.

___ b. (Invitar) _____ a su amigo a una caña y (hablar, ellos) _____ durante dos horas.

___ c. (Meter) _____ la comida congelada en el microondas y (comer) _____ las patatas fritas con una cerveza.

__1__ d. (Aparcar) ____ha aparcado____ el coche cerca de la tienda de comestibles.

___ e. (Llegar) _____ a casa y (poner) _____ la tele.

___ f. En el bar (encontrarse) _____ con un amigo.

___ g. (Volver) _____ al coche.

___ h. (Entrar) _____ en la tienda y (comprar) _____ cerveza, patatas fritas y comida congelada.

❸ Ponga los verbos en pretérito indefinido y relacione las dos partes de cada frase.

1. Ayer (comer, nosotros) ____comimos____   a. al cine con una amiga.

2. El sábado (ir, yo) _____   b. un paseo por el parque.

3. El verano pasado Víctor (veranear) _____   c. de inglés.

4. Anoche (acostarme) _____   d. en un restaurante japonés.

5. El domingo Sara y Manuel (quedarse) _____   e. muy tarde.

6. La semana pasada (visitar, yo) _____   f. en 2004.

7. El primer hijo de Olga y José (nacer) _____   g. el Museo del Prado.

8. En julio (examinarnos) _____   h. en Benidorm.

9. El domingo (dar, vosotros) _____   i. en casa.

❹ Marque con una cruz la referencia temporal correcta.

1. ¿Has leído _____ el e-mail?   ☑ ya   ❏ aún

2. ¿Qué hicisteis _____?   ❏ el domingo   ❏ esta tarde

3. He estado _____ en Barcelona.   ❑ nunca   ❑ tres veces

4. _____ llovió mucho.   ❑ Este fin de semana   ❑ El fin de semana pasado

5. _____ he visto a Javier por la calle.   ❑ Esta mañana   ❑ Ayer por la tarde

6. _____ nos fuimos al campo una semana.   ❑ En agosto   ❑ Estas vacaciones.

7. Ernesto y Lola se casaron _____   ❑ el mes pasado   ❑ este año

8. _____ he cenado con José.   ❑ Esta noche   ❑ Anoche

9. _____ Sonia ha llegado tarde al trabajo.   ❑ El miércoles   ❑ Hoy

10. ¿Qué has hecho _____?   ❑ este verano   ❑ el verano pasado

11. Beatriz no ha llamado _____   ❑ todavía   ❑ anoche

12. No he comido _____ en este restaurante.   ❑ nunca   ❑ ya

5 **Transforme (o no) cada forma verbal en función de la referencia temporal.**

1. Esta mañana hemos hablado con el director.

   El lunes   El lunes hablamos con el director.

2. Pedro me ha enviado un e-mail esta tarde.

   ayer por la tarde   _____

3. El lunes tuvimos una reunión muy importante.

   El jueves   _____

4. ¿Qué te ha dicho Verónica hoy?

   esta mañana   _____

5. El miércoles salí pronto del trabajo.

   Hoy   _____

6. Compramos la casa en enero.

   en marzo   _____

7. La película de ayer no me gustó nada.

   esta noche   _____

8. El domingo me levanté a las diez y cuarto.

   El sábado   _____

9. Esta tarde he ido de compras con Lucía.

   El otro día   _____

10. Este año, Lucas ha trabajado en una farmacia.

    El año pasado   _____

11. Esta mañana he tomado un café con Victoria.

    Esta tarde   _____

12. ¿Qué pasó el miércoles?

    anoche   _____

13. El jueves perdí las llaves de casa.

    El domingo   _____

UNA ABUELA JOVENCÍSIMA

Cuando salía con mis amigas... íbamos al campo o a bailar... y sacábamos muchas fotos.

Hugo:	Abuela, ¿te saco una foto?
La abuela:	Uff, ¡con estos pelos!... Espera, primero voy a peinarme y pintarme un poco...
Hugo:	Pero estás muy bien así.
La abuela:	¡Qué no!... Y voy a ponerme otro vestido más bonito.
Hugo:	Vale, abuela, espero.
La abuela:	Ya está. ¡Qué cámara tan pequeña! De joven, tenía una muy grande. Cuando salía con mis amigas, íbamos al campo o a bailar... y sacábamos muchas fotos. ¿Quieres verlas?
Hugo:	Sí, abuela, pero luego.
La abuela:	¿Dónde me pongo?
Hugo:	Ahí, en el sillón. Ya está. Ahora, la voy a pasar al ordenador para imprimirla.
La abuela:	¿Me enseñas cómo se hace?
Hugo:	Sí, claro, vamos a mi habitación.

La abuela:	Cuándo tenía tu edad, no existían todos estos aparatos.
Hugo:	Mira, abuela, primero conecto la cámara al ordenador, luego le doy a esta tecla, y ya está. Mira, ¿te gusta?
La abuela:	Uuuuuy.... ¡Qué vieja estoy! ¡Cuántas canas! No me gusta. Yo de joven era muy guapa, tenía el pelo muy moreno, largo y ondulado.
Hugo:	Espera abuela, tengo un programa para retocar las fotos. A ver, cuéntame... El pelo muy moreno, largo y ondulado, ¿no? ¿Así?
La abuela:	Un poco más largo.
Hugo:	Vale, un poco más largo.
La abuela:	Y llevaba pendientes pequeños y azules.
Hugo:	¿Así?
La abuela:	No... Eran más pequeños.
Hugo:	Más pequeños...
La abuela:	Y me pintaba los labios.
Hugo:	Los labios...
La abuela:	Sí... Así. Oye... Quería pedirte otra cosita... ¿Me puedes quitar estas arrugas? No tenía ninguna.
Hugo:	Claro, abuela, te las quito todas, si quieres. ¿Así?
La abuela:	Sí... y esta también. Pues esta soy yo a los treinta años.
Hugo:	¡Eras muy guapa, abuela!

Cuándo tenía tu edad, no existían todos estos aparatos.

FORMAS

▶ Verbos regulares

HABL**AR**	COM**ER**	ESCRIB**IR**
habl**aba**	com**ía**	escrib**ía**
habl**abas**	com**ías**	escrib**ías**
habl**aba**	com**ía**	escrib**ía**
habl**ábamos**	com**íamos**	escrib**íamos**
habl**abais**	com**íais**	escrib**íais**
habl**aban**	com**ían**	escrib**ían**

▶ Verbos irregulares

SER	IR	VER
era	iba	veía
eras	ibas	veías
era	iba	veía
éramos	íbamos	veíamos
erais	ibais	veíais
eran	iban	veían

Prof ¿ Ya esta ?
si.

no así todavía no

detrás uncasa = el patio
en frente = un jardin.

travieso - mischevious

USOS

▶ **Para hablar de acciones habituales en el pasado.**
Cuando **salía** con mis amigas, **sacábamos** muchas fotos.
Me pintaba los labios.

▶ **Para hacer descripciones en el pasado.**
Cuándo **tenía** tu edad, no existían todos estos aparatos.
Yo de joven **era** muy guapa, **tenía** el pelo muy moreno.
Los pendientes **eran** más pequeños.

▶ **Para pedir algo, de forma cortés.**
Quería pedirte otra cosita...

1 a. Localice las formas en la sopa de letras.

H	A	B	L	A	B	A	Ñ	V	E	Í	A	S
E	Z	A	C	V	M	U	T	F	R	R	P	A
R	Ñ	E	E	S	T	A	B	A	A	L	O	L
A	V	L	L	C	O	N	T	A	B	A	S	Í
N	O	I	A	Q	L	L	E	G	A	B	A	A
Y	L	B	I	K	C	T	R	A	Í	A	T	S
C	V	A	H	J	O	D	F	W	B	N	E	C
O	Í	N	V	R	M	I	R	A	B	A	N	I
R	A	T	E	T	Í	U	E	D	X	V	Í	M
R	N	A	N	B	A	J	A	B	A	I	A	A
Í	S	Z	Í	P	L	E	Í	A	V	A	S	G
A	S	A	A	O	L	M	Ñ	S	C	J	P	I
N	G	G	R	E	Í	A	I	S	E	A	M	N
V	E	Í	A	M	O	S	Y	O	N	B	E	A
O	C	S	O	Ñ	A	B	A	S	A	A	N	B
T	C	R	E	Í	A	M	O	S	B	S	T	A
P	E	F	I	Ñ	L	L	I	U	A	R	Í	N
R	T	O	R	C	Í	A	M	O	S	E	A	E
U	S	A	B	A	I	S	T	C	E	R	S	A
Q	R	P	M	O	G	D	U	N	Í	A	I	S
O	A	C	F	Í	B	A	M	O	S	S	S	I

1. ir, nosotros _____**íbamos**_____
2. ser, ellos _____eran_____
3. ver, tú _____
4. hablar, él _____
5. ser, yo _____
6. comer, yo _____
7. ir, ellos _____
8. tener, tú _____
9. ver, nosotros _____
10. leer, él _____
11. estar, usted _____
12. salir, tú _____
13. volver, ellas _____
14. contar, tú _____
15. correr, ustedes _____

16. bajar, yo _____
17. usar, vosotros _____
18. traer, él _____
19. cenar, tú _____
20. creer, nosotros _____
21. reír, vosotros _____reíais_____
22. viajar, tú _____
23. imaginar, ellos _____
24. venir, yo _____
25. mentir, tú _____
26. torcer, nosotros _____
27. mirar, usted _____
28. llegar, yo _____
29. soñar, tú _____
30. unir, vosotros _____

b. Complete las frases con seis formas de la actividad a.

1. En verano _____ íbamos _____ a la playa.

2. De pequeña nunca _____ *llegaba* _____ tarde al colegio.

3. Todos los domingos por la noche _____ *cenabas* _____ en casa de tus abuelos.

4. ¿ _____ *Veías* _____ mucho la tele cuando eras pequeño?

5. En el instituto, mi hermano _____ *leía* _____ muchas novelas de autores del siglo XX.
   highschool — *instituto de segunda enseñanza*

6. El año pasado Iván y Julia _____ mucho al cine.

② Transforme las frases, según el modelo.

más = more   mas = pero

AHORA		ANTES
1. Voy al trabajo en metro.	autobús	**Iba en autobús.**
2. Vivimos en el centro.	el campo	*Vivíamos en el campo*
3. Tienes un perro.	un gato	*Tenías un gato*
4. Trabajamos en una inmobiliaria. *agencia que compra casas/edificios*	un banco	*Trabajábamos en un banco*
5. Hago mucho deporte.	poco deporte	*Hacía poco deporte*
6. Vuelves del trabajo a las siete.	a las ocho	*Volvías del trabajo a las ocho*
7. Dirijo una editorial. *publishing house*	una aseguradora *insurance agency*	*Dirigía una aseguradora.*
8. Empiezas a trabajar a las nueve.	a las ocho	*Empezabas a trabajar a las ocho*
9. Suelen ir al cine los domingos. *used to, soler*	al parque	*Solían ir al parque los domingos*
10. Estudiáis inglés.	alemán	*Estudiabais alemán*

③ Mire, este es Julián hace unos años y ahora. Indique los cambios. Use los verbos de la lista.

✓vivir   tener   ser   leer   llevar   vestir
conducir   estar   jugar   montar   gustar

pasar por debajo de la mesa — nothing special

ANTES	AHORA

esmokin = frac → tuxedo.

Vivía en un piso _____ *Montaba en bici, pero ahora conduce un carro.*
cerca del mar
Tenía un perro, pero ahora tiene un gatito. Llevaba gafas, pero ahora
Leía mucho pero ahora trabaja mucho. Vestía informal
Era soltero – no estaba casado ni tenía a hijos.

costar un dineral = costar una fortuna

algo
bajo = shallow, not depth

mayúscula = A
minúscula = a

EN LA EMPRESA

Ernesto: ¡Qué sueño! No he dormido en toda la noche.

Susana: ¿Y eso?

Ernesto: Pues a las once estaba en la cama y se presentó un amigo. Como era su cumpleaños, nos fuimos de copas. Llegué a casa a las dos y me acosté. De repente oí un ruido extraño detrás de la puerta.

Susana: ¡Qué miedo!

Ernesto: Me levanté y miré por la mirilla. Como no vi nadie, abrí la puerta: era un gato negro.

Susana: ¡Pobrecito! ¿Y qué hiciste?

Ernesto: ¿Yo? Nada, pero él... enseguida se metió en el salón, tiró las sillas, se comió la planta, hizo pis en la alfombra, y se subió a mi cama con ganas de jugar... ¡toda la noche!

Susana: ¡Pobrecito!

Ernesto: Sí, pobrecito... Y yo sin dormir.

Susana: ¿Y ahora dónde está?

Ernesto: En la terraza, le he dejado agua y comida...

Como no vi nadie, abrí la puerta.

Tengo que preparar las carpetas para la reunión de las diez. Ayer, como estaba estropeada la fotocopiadora, no pude hacer las fotocopias.

Luego, nos fuimos al restaurante todos juntos porque querían comer paella.

Telefonista: Luis, ¿qué te pasa? Tú siempre eres muy puntual.

Luis: Nada, que ayer vinieron unos clientes importantes de Bruselas y la reunión terminó a las nueve y media. Luego, nos fuimos al restaurante todos juntos porque querían comer paella.

Telefonista: Tienes una visita, está con tu secretaria. Es el director de la sucursal de París. Dijo que llegó ayer por la mañana, porque por la noche había huelga de controladores aéreos.

Luis: No puede ser... Cada vez que viene, quiere ir de tapas y luego a un tablao flamenco.

USO DE CADA TIEMPO

* El pretérito indefinido sirve para expresar las acciones y los acontecimientos.
* El pretérito imperfecto sirve para explicar o describir las circunstancias, la situación o el contexto que rodean la acción expresada en pretérito indefinido.

*Como **estaba estropeada** la fotocopiadora, **no pude hacer** las fotocopias.*

Qué pasó.
En qué circunstancias se produjo el acontecimiento.

ORGANIZACIÓN DEL RELATO

Como*	Circunstancias / Situación	Acción
Como	era su cumpleaños,	nos fuimos de copas.
Como	no vi nadie,	abrí la puerta.
Como	estaba estropeada la fotocopiadora,	no pude hacer las fotocopias.
Circunstancias / Situación	**y** (de repente, de pronto, entonces)	Acción
Estaba en la cama	**y**	se presentó un amigo.
Acción	**porque**	Circunstancias / Situación
Nos fuimos al restaurante	**porque**	querían comer paella.
Llegó ayer por la mañana,	**porque**	por la noche había huelga.

Como siempre va al principio de la frase.

Bruselas = capital de Bélgica

1 **Forme el máximo número de frases. Escriba los números y las letras en los recuadros.**

1. Estaba sola en la terraza de un café

2. Hacía mucho calor

3. Andaba por la calle

4. No había nada en la tele

a. y de repente estalló una tormenta.
b. y entonces llegó una amiga.
c. y, por eso, no me acosté muy tarde.
d. y me encontré con Pedro.
e. y, por eso, salimos a tomar algo.
f. y de pronto se puso a llover.
g. y nos fuimos a la playa.
h. y, por eso, llamé a una amiga y me fui a su casa.
i. y un chico muy majo se puso a hablar conmigo.
j. y, de repente, tropecé y me caí.
k. y se sentó un chico a mi lado.

1/ a	1/___	1/___	1/___	1/___	2/___	2/___	3/___
3/___	3/___	3/___	3/___	4/___	4/___	4/___	4/___

2 **a. Conteste a las preguntas con los verbos de la lista en pretérito imperfecto.**

haber   estar   conocer   aburrirse   doler   ✓ser   gustar   tener

1. ¿Por qué no llamaste a Marina?

Porque ____era____ demasiado tarde.

2. ¿Por qué no quisiste ir a la fiesta de Manuel?

Porque no _____ a nadie.

3. ¿Por qué no saliste con Ernesto?

Porque _____ que ir a casa de mis padres.

4. ¿Por qué llegaste tarde?

Porque _____ un atasco tremendo.

5. ¿Por qué no fuiste a trabajar?

Porque me _____ mucho el estómago.

6. ¿Por qué no me mandaste el e-mail?

Porque mi ordenador _____ estropeado.

7. ¿Por qué no fuiste con Paulina al cine?

Porque no me _____ la película.

8. ¿Por qué te marchaste a las ocho?

Porque _____

b. Transforme las frases del ejercicio a, según el modelo.

1. <u>Como era demasiado tarde, no llamé a Marina.</u>

2. _____

3. _____

4. _____

5. _____

6. _____

7. _____

8. _____

3 **a. Conjugue los verbos en los tiempos que correspondan
y termine las frases con las expresiones de la lista. Escriba las letras.**

a. (cancelar, nosotros) _____ el partido de fútbol.

b. (quedarnos) __nos quedamos__ en casa.

c. (irnos) _____ al teatro.

d. (salir, nosotros) _____ a tomar tapas.

e. (levantarme) _____ muy tarde.

f. (llegar, yo) _____ pronto a casa.

g. no (poder, nosotros) _____ esquiar.

h. no (poder, yo) _____ hacer la compra.

i. (pedir, yo) _____ pescado.

j. (quedarme) _____ en la oficina hasta tarde.

k. (alquilar, yo) _____ una película.

l. (quedar, yo) _____ con un amigo para tomar algo por el centro.

1. Como (hacer) _____ mucho frío,   `b`

2. Como (haber) _____ poca nieve,   ☐

3. Como (llover) _____ mucho,   ☐

4. Como no (tener, yo) _____ ganas de salir,   ☐

5. Como (tener, yo) _____ muchísimas cosas que hacer,   ☐

6. Como no (quedar) _____ entradas en el cine,   ☐

7. Como no (quedar) _____ nada en la nevera,   ☐

8. Como (ser) _____ domingo,   ☐

9. Como (haber) _____ poco tráfico,   ☐

10. Como no (tener, yo) _____ nada que hacer,   ☐

11. Como no me (gustar) _____ la carne,   ☐

12. Como el mercado (estar) _____ cerrado,   ☐

b. Transforme las frases del ejercicio a, según el modelo.

1. __Nos quedamos en casa porque hacía mucho frío.__ _____

2. _____

3. _____

4. _____

5. _____

6. _____

7. _____

8. _____

9. _____

10. _____

11. _____

12. _____

¡QUÉ SEMANA!

Y por la tarde el jefe casi me despidió porque todavía no había terminado un informe.

Esther:	¡He tenido una semana fatal!
Marina:	¡Qué me dices!
Esther:	Pues sí... El lunes llegué con una hora de retraso a la oficina por culpa del tráfico, y la reunión con los clientes de Barcelona ya había terminado. Y por la tarde el jefe casi me despidió porque todavía no había terminado un informe, y no me dio el ascenso que me había prometido el mes pasado.
Marina:	¡Qué antipático!
Esther:	Y se puso de mal humor porque un cliente había cancelado un pedido muy importante. Por la noche, me quedé tirada en una gasolinera; no pude echar gasolina porque me había dejado la tarjeta de crédito en casa, llamé a Pepe al móvil pero no contestó, ¡se lo habían robado!
Marina:	¡Qué me dices!
Esther:	Y el miércoles... Lo que me pasó el miércoles... Por la mañana una compañera se enfadó conmigo porque no había quedado con ella para comer. A las siete, tuve que llamar al seguro porque otro coche me había dado un golpe por la tarde, y la grúa llegó al cabo de tres horas.
Marina:	¡Qué mala suerte, chica!
Esther:	Total, que llegué a casa a las once, estaba cansadísima y un poco deprimida, porque había tenido un día horrible y sólo quería acostarme. Cuando llegué, Juan me esperaba con una copa de cava y unos canapés, y había preparado una cena estupenda.
Marina:	¿En serio?
Esther:	Sí, estaba contentísimo, ¡nos había tocado la lotería!
Marina:	¡Qué suerte!
Esther:	¡La semana que viene nos vamos de vacaciones al Caribe!

FORMAS

haber en pretérito imperfecto	Participio
había habías había habíamos habíais habían	verbos en -**ar** → -**ado** *hablar* → *hablado* verbos en -**er** → -**ido** *comprender* → *comprendido* verbos en -**ir** → -**ido** *vivir* → *vivido*

Participios irregulares
Ver página 43.

USOS

- Con el pretérito indefinido, expresa una acción pasada anterior a otra acción (descrita en pretérito indefinido) también pasada.
  *El lunes **llegué** con una hora de retraso y la reunión **ya había terminado**.*
  *Una compañera **se enfadó** conmigo porque **no había quedado** con ella para comer.*
  ***Tuve que llamar** al seguro porque otro coche **me había dado** un golpe.*
  ***No me dio** el ascenso que **me había prometido** el mes pasado.*

- Con el pretérito imperfecto, expresa una acción pasada anterior a una situación (descrita en imperfecto) también pasada.
  ***Estaba** contentísimo, ¡**nos había tocado** la lotería!*
  ***Estaba** un poco deprimida porque **había tenido** un día horrible.*

- En el estilo indirecto, para transmitir en pasado acciones expresadas en pretérito perfecto y pretérito indefinido. Ver página 123.

1 **a. Forme frases, según el modelo.**

1. irse (ellos) / cenar (ellos)

   <u>Cuando se fueron, ya habían cenado.</u>

2. volver a casa (yo) / preparar la cena (mi madre)

   _____

3. poner la tele (tú) / empezar (el documental)

   _____

4. mandar el informe por e-mail (la secretaria) / irse (el director)

   _____

5. llegar (el taxi) / todavía no hacer la maleta (José)

   _____

6. llegar al teatro (nosotros) / empezar (la función)

   _____

b. Ahora, relacione y forme dos frases cada vez.

1. Cuando llegué a la oficina,
2. Cuando llegué al aeropuerto,
3. Cuando llegué a casa de Luis,
4. Cuando llegué al cine,
5. Cuando llegué al estadio,

a. ya había empezado el partido.
b. la reunión ya había empezado.
c. Pedro ya había comprado las entradas.
d. mi amigo todavía no había hecho la comida.
e. aún no había empezado el embarque.
f. el director aún no había llegado.
g. el avión ya había despegado.
h. mi equipo ya había marcado tres goles.
i. la sesión todavía no había empezado.
j. mi amigo ya había cenado.

1/ _b_ 1/____	2/____ 2/____	3/____ 3/____	4/____ 4/____	5/____ 5/____

2 **Relacione las preguntas con las respuestas. Escriba la letra en el bocadillo.**

a. me había dejado la tarjeta en la oficina. ✓b. ya había visto la película.

c. el director la había cancelado dos días antes. d. había quedado con otro amigo.

e. casi no había estudiado. f. había hablado con él el día anterior.

1. ¿Por qué no fuiste al cine con Nuria? Porque _b_

2. ¿Por qué no saliste con Antonio? Porque ___

3. ¿Por qué no compraste el ordenador? Porque ___

4. ¿Por qué no llamaste a Félix? Porque ___

5. ¿Por qué no fuiste a la reunión? Porque ___

6. ¿Por qué no aprobaste el examen? Porque ___

❸ Relacione. Complete las frases, según el modelo.

a.   b.   c.   d.

e.   f.   g.   h.

1. _c_   _Estaba cansado_ porque había trabajado mucho.

2. ___ _____ porque había aprobado los exámenes.

3. ___ _____ porque no había comido nada en todo el día.

4. ___ _____ porque todos sus amigos se habían ido.

5. ___ _____ porque el director había despedido a su marido del trabajo.

6. ___ _____ porque un coche le había dado un golpe a su moto.

7. ___ _____ porque había salido a la calle sin abrigo.

8. ___ _____ porque había perdido a su gatito.

triste furioso preocupado aburrida

✓cansado contento hambriento enferma

❹ Ponga los verbos en pretérito indefinido, pretérito imperfecto o pretérito pluscuamperfecto.

1. Felipe (estar) _____**estaba**_____ muy deprimido porque (romper) _____
con su novia.

2. Cuando (levantarme) _____ el martes por la mañana, mi hermano ya (preparar)
_____ el desayuno.

3. Elena (estar) _____ preocupada porque (perder) _____ los billetes de
avión.

4. El miércoles por la noche Marcos no (poder) _____ entrar en casa porque (dejarse)
_____ las llaves en el cajón de su mesa de trabajo.

5. El otro día (tener, yo) _____ mucho sueño y (estar) _____ agotada
porque (dormir) _____ solo dos horas la noche anterior.

6. Consuelo (organizar) _____ una fiesta en su casa el sábado porque su jefe (subirle)
_____ el sueldo.

EN EL MÉDICO

El médico: A ver... Respire hondo... No respire.
Tosa...
Otra vez, más fuerte. No tosa.
Tosa.

El paciente: ¿Qué pasa, doctor?

El médico: ¿Usted fuma?

El paciente: Sí, dos paquetes al día.

El médico: Pues, a partir de ahora, no fume.

El paciente: Pero doctor...

El médico: Y tiene que adelgazar un poco. No beba alcohol. ¿Come mucha carne?

El paciente: Me encantan las hamburguesas, doctor.

El médico: Con patatas fritas... supongo.

El paciente: Sí, doctor.

El médico: Pues usted no debe comer tanta grasa. Coma mucho pescado y mucha verdura.

El paciente: Es que no me gustan...

El médico: Voy a recetarle unos parches que le ayudarán a dejar el tabaco.
Aquí tiene; sobre todo, no olvide ponerse un parche en el hombro todas las mañanas y no interrumpa el tratamiento.

El paciente: Gracias, doctor.

El médico: Vuelva dentro de un mes.

Y tiene que adelgazar un poco. No beba alcohol. ¿Come mucha carne?

FORMAS

• Verbos regulares

	HABL**AR**	COM**ER**	ESCRIB**IR**
tú	no habl**es**	no com**as**	no escrib**as**
usted	no habl**e**	no com**a**	no escrib**a**
nosotros/as	no habl**emos**	no com**amos**	no escrib**amos**
vosotros/as	no habl**éis**	no com**áis**	no escrib**áis**
ustedes	no habl**en**	no com**an**	no escrib**an**

- Verbos en -**c**ar: **c** → **qu**
  bus**c**ar: no bus**qu**es, no bus**qu**e, no bus**qu**emos, no bus**qu**éis, no bus**qu**en

- Verbos en -**z**ar: **z** → **c**
  lan**z**ar: no lan**c**es, no lan**c**e, no lan**c**emos, no lan**c**éis, no lan**c**en

- Verbos en -**g**ar: **g** → **gu**
  pa**g**ar: no pa**gu**es, no pa**gu**e, no pa**gu**emos, no pa**gu**éis, no pa**gu**en

- Verbos en -**g**er: **g** → **j**
  co**g**er: no co**j**as, no co**j**a, no co**j**amos, no co**j**áis, no co**j**an

- Verbos en -**g**ir: **g** → **j**
  exi**g**ir: no exi**j**as, no exi**j**a, no exi**j**amos, no exi**j**áis, no exi**j**an

- Algunos verbos en -**i**ar: **i** → **í** (solo en las formas **tú**, **Ud.** y **Uds.**)
  env**i**ar: no env**í**es, no env**í**e, no env**i**emos, no env**i**éis, no env**í**en
  –Otros verbos: ampl**i**ar, conf**i**ar, desconf**i**ar, enfr**i**ar, esqu**i**ar, gu**i**ar, l**i**ar, resfr**i**arse, vac**i**ar.

- Algunos verbos en -**u**ar: **u** → **ú** (solo en las formas **tú**, **Ud.** y **Uds.**)
  contin**u**ar: no contin**ú**es, no contin**ú**e, no contin**u**emos, no contin**u**éis, no contin**ú**en
  –Otros verbos: acent**u**ar, act**u**ar, efect**u**ar, sit**u**ar.

USOS

• Dar órdenes, instrucciones, recomendaciones, consejos y advertencias.
  *Niños, **no tiréis** las revistas al suelo.*
  ***No beba** alcohol.*
  ***No olvide** ponerse un parche.*
  ***No interrumpa** el tratamiento.*

• Pedir acciones a otros.
  *Señora, por favor, **no grite**.*

• Negar permiso.
  *No, **no toques** nada.*

1 Una con una flecha y rodee las formas.

entrar (nosotros)   fijar (usted)   bajar (tú)   cubrir (ustedes)   escribir (usted)   firmar (tú)

nofijenocubran(noentremos)nogritenollenesnobajesnocomáisnocorranoescribanofirmesnogiréisnousen

gritar (usted)   llenar (tú)   comer (vosotros)   correr (usted)   usar (ustedes)   girar (vosotros)

2 Escriba las formas en imperativo negativo en el crucigrama.

1. realizar, ustedes
2. pagar, tú
3. explicar, tú
4. apagar, ustedes
5. pagar, ellos

6. obligar, vosotros
7. vaciar, ustedes
8. aparcar, tú
9. llegar, nosotros
10. actuar, usted

11. ampliar, tú
12. situar, ustedes
13. avanzar, ustedes
14. tocar, vosotros
15. escoger, ustedes

16. utilizar, usted
17. roncar, vosotros
18. cruzar, nosotros
19. enviar, ustedes
20. buscar, tú

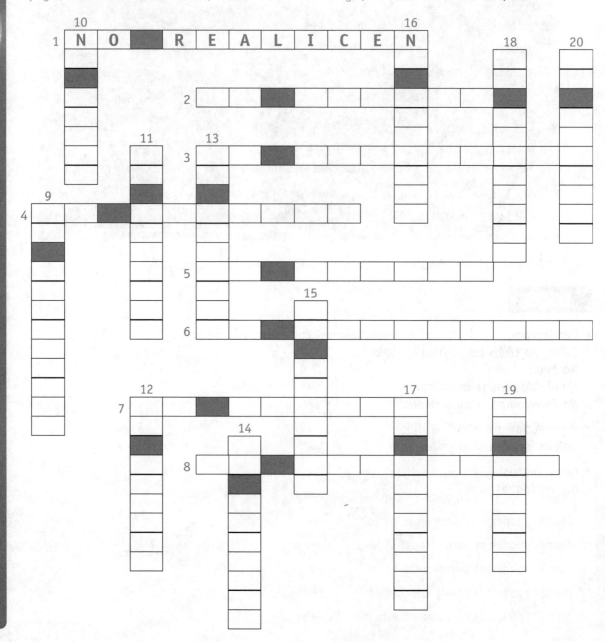

3 Forme frases según el modelo (forma *tú*). Use los verbos de la lista.

cruzar   preparar   ✓comer   abrir   beber   trabajar   llorar   llegar

1. No tengo hambre.   **No comas.**

2. No tengo sed.   *no bebas* .

3. El semáforo está en rojo.   *No cruces* la calle.

4. La reunión empieza a las tres.   *No llegues* tarde.

5. Hace frío en la habitación.   *No abras* la ventana.

6. Estoy deprimido.   ¡Venga, anímate y *no llores* !

7. ¿Vamos al restaurante?   Sí, *no prepares* la cena.

8. Estoy cansadísimo.   ¡ *No trabajes* tanto!

4 ¿Qué dice en las siguientes situaciones? Use la forma *usted*, según el modelo.

tocar   fumar   ✓gritar   comer   escribir   dejar

1. Una mujer habla muy alto, y le molesta.

Por favor, **no grite.**

2. Un hombre ha dejado su coche en doble fila junto al suyo y no puede salir.

Por favor, *no deje* su coche ahí.

3. Está en la sala de espera de la estación, un hombre quiere encender un cigarrillo. (Está prohibido.)

Por favor, *no fume*

4. Usted trabaja en correos. Un cliente tiene que rellenar un impreso.

Por favor, *no escriba* con mayúsculas.

5. En una exposición, una mujer se acerca demasiado a los cuadros.

Por favor, *no toque* los cuadros.

6. En un hospital, son las dos de la tarde y un hombre saca un bocadillo de calamares de una bolsa.

Por favor, *no coma* en la sala de espera.

5 Conteste que no, según el modelo (forma *vosotros*).

1. Mamá, ¿podemos apagar la luz?   →   **No, no apaguéis la luz.**

2. Mamá, ¿podemos leer la revista?   →   *No, no leáis*

3. Mamá, ¿podemos comprar chicles?   →   *No, no compréis*

4. Mamá, ¿podemos correr en el patio?   →   *No, no corráis*

5. Mamá, ¿podemos sacar fotos?   →   *No, no saquéis*

6. Mamá, ¿podemos llamar a David?   →   *No, no llaméis*

7. Mamá, ¿podemos comer chocolate?   →   *No, no comáis*

8. Mamá, ¿podemos escribir sobre la mesa?   →   *No, no escribáis*

EN LA CIUDAD

Adiós hijos, no volváis tarde.

Espérame, no salgas del coche, vuelvo enseguida.

Niño, no juegues en la acera.

Espera, no cierres el maletero, he comprado unas cositas.

... gira a la izquierda... No... No tuerzas a la derecha, ¿no ves que está prohibido? Te he dicho a la izquierda.

Dame el plano.

¡Cuidado, que te estás saltando el semáforo!

¡Lo que faltaba!

Elena:	No sigas por esta calle, creo que nos hemos equivocado. No, no es por aquí; espera, voy a mirar el plano... No, no des la vuelta a la rotonda, espera...
Javier:	¿Qué hago? Date prisa.
Elena:	No, no, no... No vayas por ahí. Espera, voy a mirar el plano otra vez, estamos aquí... Gira a la izquierda... No... No tuerzas a la derecha, ¿no ves que está prohibido? Te he dicho a la izquierda.
Javier:	Dame el plano.
Elena:	¡Cuidado, que te estás saltando el semáforo!
Javier:	¡Lo que faltaba! Tú no digas y no hagas nada. Déjame hablar a mí.
Policía:	¡La documentación del coche!
Javier:	Eh... Creo que la he dejado en casa...
Policía:	¡Salgan del vehículo, por favor!

e > ie, o > ue, u > ue

	CERRAR*	VOLVER**	ENCENDER	JUGAR
tú	no *cierres*	no *vuelvas*	no *enciendas*	no *juegues*
Ud.	no *cierre*	no *vuelva*	no *encienda*	no *juegue*
ntros/as	no *cerremos*	no *volvamos*	no *encendamos*	no *juguemos*
vtros/as	no *cerréis*	no *volváis*	no *encendáis*	no *juguéis*
Uds.	no *cierren*	no *vuelvan*	no *enciendan*	no *jueguen*

* calentar, despertar, merendar, ~~nevar~~, pensar, sentarse, temblar...
**acostar, consolar, contar, mostrar, probar, sonar, soñar, volar, devolver, envolver, ~~llover~~, mover...

- Verbos en -zar: -z → -c   empezar, comenzar, almorzar
  empezar: no empieces, no empiece, no empecemos, no empecéis, no empiecen
- Verbos en -gar: -g → -gu   fregar, negar, regar, colgar
  plegar: no pliegues, no pliegue, no pleguemos, no pleguéis, no plieguen
- Verbo torcer: -c → -z
  torcer: no tuerzas, no tuerza, no torzamos, no torzáis, no tuerzan

Verbos en -ir: e > ie, e > ie/i, u > ue/u

	PEDIR*	MENTIR**	DORMIR***
tú	no *pidas*	no *mientas*	no *duermas*
Ud.	no *pida*	no *mienta*	no *duerma*
ntros/as	no *pidamos*	no *mintamos*	no *durmamos*
vtros/as	no *pidáis*	no *mintáis*	no *durmáis*
Uds.	no *pidan*	no *mientan*	no *duerman*

*   despedir, impedir, medir, repetir, servir, vestirse...

**   Verbos en -entir, -ertir, -ervir, -erir (excepto servir)

*** morirse

- Verbos en -gir: -g → -j   corregir, elegir
  corregir: no corrijas, no corrija, no corrijamos, no corrijáis, no corrijan
- Verbos en -guir: -gu → -g   conseguir, seguir
  seguir: no sigas, no siga, no sigamos, no sigáis, no sigan
- Verbo reírse: no te rías, no se ría, no nos riamos, no os riáis, no se rían.

Otros verbos irregulares

– Verbos en -CER/-CIR: c → zc
CONDUCIR   no conduzcas, no conduzca, no conduzcamos, no conduzcáis, no conduzcan

– Verbos en -UIR: i → y **INCLUIR** no incluyas, no incluya, no incluyamos, no incluyáis, no incluyan
- **CAERSE**   no te caigas, no se caiga, no nos caigamos, no os caigáis, no se caigan
- **DAR**   no des, no dé, no demos, no deis, no den
- **DECIR**   no digas, no diga, no digamos, no digáis, no digan
- **ESTAR**   no estés, no esté, no estemos, no estéis, no estén
- **HACER**   no hagas, no haga, no hagamos, no hagáis, no hagan
- **IR**   no vayas, no vaya, no vayamos, no vayáis, no vayan
- **OÍR**   no oigas, no oiga, no oigamos, no oigáis, no oigan
- **PONER**   no pongas, no ponga, no pongamos, no pongáis, no pongan
- **SALIR**   no salgas, no salga, no salgamos, no salgáis, no salgan
- **SER**   no seas, no sea, no seamos, no seáis, no sean
- **TENER**   no tengas, no tenga, no tengamos, no tengáis, no tengan
- **TRAER**   no traigas, no traiga, no traigamos, no traigáis, no traigan
- **VENIR**   no vengas, no venga, no vengamos, no vengáis, no vengan
- **VER**   no veas, no vea, no veamos, no veáis, no vean

1 **Complete las formas con *e, ie, o, u, ue.***

1. no v_ue_lvas	7. no c____ntéis	13. no desp____rte	19. no env____lvas
2. no c____rre	8. no t____mblen	14. no mer____ndéis	20. no m____va
3. no j____guéis	9. no m____vas	15. no p____nsemos	21. no v____lvan
4. no s____ñen	10. no m____stre	16. no dev____lváis	22. no j____gues
5. no ac____stéis	11. no te s____ntes	17. no cal____nte	23. no p____nsen
6. no cons____les	12. no c____ntéis	18. no c____nten	24. no c____rremos

2 **Complete los cuadros con las formas en imperativo negativo.**

- COMENZAR: **no comiences,** _____
- FREGAR: _____
- TORCER: _____

3 **Relacione las dos partes de cada forma y escríbalas en los recuadros.**

- no pi
- no mien
- no min
- no eli
- no si

- no convier
- no impi
- no repi
- no sir
- no dur

- no despi
- no te rí
- no corri
- no duer
- no sugie

- das
- van
- ras
- mas
- gáis
- jan

- máis
- tas
- ta
- vas
- as
- ran

- ja
- ma
- da
- ga
- dáis
- táis

TÚ   **no pidas** _____ _____ _____ _____

_____ _____ _____ _____ _____

USTED _____ _____ _____ _____ _____

_____ _____ _____ _____ _____

VTROS _____ _____ _____ _____ _____

_____ _____ _____ _____ _____

USTEDES _____ _____ _____ _____

4 **Localice 15 formas irregulares en la cadena de verbos. Indique el infinitivo y la persona.**

noescribas**nodigas**noabráisnohablennooiganotengannoescuchemosnoleamosnosecaigannoveano
salgasnoolvidesnovengasnoobservennoesténnoconduzcáisnocortennodiscutasnomirennoincluya
novayannotraigannollevemosnopronunciesnoseanohagáisnoparenotraduzcasnoquitennodénousen
nopongáisnosuban

decir, tú _____

_____

······· ivo e indique en qué situación se puede emplear cada

luzca

a. Una chica a su hermano
   (este no quiere prestarle su bici).

on los

b. Texto de un folleto sobre protección
   del medio ambiente.

c. Una madre a sus hijos.

las frases.

d. Un profesor a sus alumnos.

e. Un monitor de autoescuela
   a un alumno.

odelo (forma *tú*).

no salgas.

_____ la tele.

_____ deporte.

_____ a las tres.

_____ nada.

_____ el libro ahí.

_____ la ventana.

_____ al cine.

9. ¿Puedo servir el café?   No, _____ el café ahora.

10. ¿Pido la cuenta al camarero?   No, _____ la cuenta todavía.

7 Escriba una frase en imperativo negativo para cada situación.

ir   ✓tener   hacer   volver   pedir   fregar   traer

1. Hay un perro muy grande y a un niño le da miedo.

2. Ha invitado a unos amigos a cenar, no necesita nada.

3. Un amigo suyo quiere ir al centro comercial, pero no sabe que está cerrado.

4. Está en un restaurante con unos clientes importantes, quieren tomar gazpacho pero usted sabe
   que no lo preparan muy bien.

5. En un examen, el profesor pide silencio a todos sus alumnos.

6. Ha invitado a una amiga a comer, quiere ayudarle a recoger la mesa.

7. Arturo quiere salir esta noche, pero mañana tiene clase en la universidad a las ocho.
   Su compañero de piso le aconseja.

1. No __tengas__ miedo.	5. No _____ ruido.
2. No _____ nada.	6. No _____ los platos,
3. No _____, está cerrado.	tengo lavavajillas.
4. No _____ gazpacho,	7. No _____ muy tarde,
no se lo recomiendo.	mañana tienes clase.

EL IMPERATIVO NEGATIVO
con pronombres personales

PREPARANDO UNA RIQUÍSIMA PAELLA

Para la cena de esta noche voy a hacer una paella. A mi jefe le encanta. Seguro que me da el ascenso.

¿Vas a hacer una paella, tú? Pero si no sabes cocinar... ¿Te ayudo?

No, no hace falta. No te preocupes, y no me digas nada, que sé hacerla.

Vale, vale...

Una hora después...

Beatriz: ¿Qué es esto? La paella no se hace así... Los mejillones no los eches ahora, y la verdura no la cuezas tanto... ¡Qué cocinero estás hecho! Oye, aquí huele a quemado...

Marcos: No me molestes... Sé cómo se hace la paella.

Beatriz: Vale, vale... ¿Y ese delantal tan original? ¡Te queda fenomenal! No te lo quites, que te voy a sacar una foto.

Marcos: No te rías, que no tiene gracia... Oye, necesito unas cuantas cosas, ¿puedes ir al súper?

Beatriz: ¿Qué necesitas?

Marcos: Pan, aceitunas, vino, dos botellas de cava... Y compra una tarta en la pastelería. No la compres de chocolate, a mi jefe no le gusta.

Beatriz: Pues me voy, hasta luego. Oye, aquí huele a quemado, ¿no?

Marcos: El pollo, se ha quemado el pollo... ¿Y ahora que hago?

Empleado: Telepaella, ¡buenas tardes!

Marcos: Buenas tardes, quería una paella con pollo y marisco para cuatro personas. Ah, y no le ponga calamares, por favor.

Empleado: Muy bien, ¿me da su dirección?

Marcos: Praga 75, tercero A.

Empleado: ¿Teléfono?

Marcos: 91 558 30 21. Es muy urgente.

Empleado: No se preocupe, la tendrá en menos de una hora.

No me molestes... Sé cómo se hace la paella.

Vale, vale...

Esta paella está riquísima. Le felicito, Torres.

¡Mi marido es un excelente cocinero!

CON PRONOMBRES REFLEXIVOS
te, nos, os, se

Van entre la negación (no) y el verbo.
tú	no **te** levantes
usted	no **se** levante
nosotros/as	no **nos** levantemos
vosotros/as	no **os** levantéis
ustedes	no **se** levanten

CON PRONOMBRES COMPLEMENTO DIRECTO
me, le / lo / la, nos, les / las / los

Los mejillones no **los** eches ahora.   *echar la maleta*   *buzón — mailbox*
La verdura no **la** cuezas tanto.

CON PRONOMBRES COMPLEMENTO INDIRECTO
me, le, nos, les

No **me** digas nada.
No **le** ponga calamares.   *le pongo calamares.   me puedes echa la buzón   le digas*

CON DOS PRONOMBRES

- *reflexivos* + [**lo / la, los / las**]
Primero el *reflexivo* y luego el **directo**.

No *te* pongas **la chaqueta**.	No *te* **la** pongas.
No *se* ponga **los zapatos**.	No *se* **los** ponga.
No *nos* lavemos **las manos**.	No *nos* **las** lavemos.
No *os* quitéis **la camiseta**.	No *os* **la** quitéis.
No *se* quiten **el delantal**.	No *se* **lo** quiten.

*la remera + shirt
la franela + shirt
la camiseta - t-shirt*

- [me, le, nos, les] + [**lo / la, los / las**]
Primero el *indirecto* y luego el **directo**.

No *me* des **la receta**.	No *me* **la** des.
No *nos* enseñen **las fotos**.	No *nos* **las** enseñen.

Cuando coinciden dos pronombres de tercera persona, el primero (el indirecto **le/les**) se transforma en **se**.

No enseñes **el libro** a Juan.   No ~~le~~ **lo** enseñes. → No **se lo** enseñes.

No des **las fotos** a mis amigos. No ~~les~~ **las** des. → No **se las** des.

① Complete los cuadros con las formas en imperativo negativo.

SENTARSE	MOVERSE	VESTIRSE	IRSE
no te sientes			

② Termine las frases, según el modelo.

1. ¿No quieres acostarte ahora? Pues _____ no te acuestes. _____

2. ¿No os apetece levantaros? Pues _____

3. ¿Ustedes no se quieren ir? Pues _____

4. ¿Usted no se quiere mover? Pues _____

5. ¿Que no os vais a reír? Pues _____

6. ¿No te quieres poner a la derecha? Pues _____ a la derecha.

7. ¿Usted no quiere darse una vuelta? Pues _____ una vuelta.

8. ¿No os apetece tomaros un café? Pues _____ nada.

9. ¿No quieres matricularte en esta academia? Pues _____

③ Conteste negativamente, según el modelo (formas *tú* o *vosotros*).

1. ¿Pongo los libros ahí? No, _no los pongas_ ahí.

2. ¿Apago las luces? No, _____ todavía.

3. ¿Llamo a Pepe? No, _____, ha salido.

4. ¿Te espero? No, _____, no voy a salir.

5. ¿Os llamo mañana? No, _____ mañana.

6. ¿Envío los e-mails? No, _____, llama por teléfono.

7. ¿Corregimos los ejercicios? No, _____

8. ¿Espero el autobús? No, _____, ve en taxi.

9. ¿Compramos las flores? No, _____, las compro yo.

10. ¿Enciendo la luz? No, _____, aún es de día.

4 **¿Qué dice en cada situación? Use los verbos de la lista (forma *usted*).**

tomar escuchar abrir regar comprar

✓ver leer despertar probar calentar

1. Esta película es un rollo, _____ **no la vea.** _____	2. Estos zapatos son muy caros, _____	3. Este libro es malísimo, _____
4. Estas canciones son muy malas, _____	5. El café no está frío, _____	6. La sopa está muy salada, _____
7. Estos e-mails tienen un virus, _____	8. El gato está durmiendo _____	9. Las plantas tienen agua, _____

5 **a. Relacione y escriba los pronombres.**

1. ¿Me pongo la chaqueta?
2. ¿Nos quitamos los zapatos?
3. ¿Me lavo las manos?
4. ¿Me tomo el café?
5. ¿Nos comemos el pastel?
6. ¿Nos abrochamos el cinturón?
7. ¿Nos compramos las revistas?
8. ¿Me pruebo las camisas?

a. No, no _____ _____ quitéis.
b. No, no _____ _____ tomes.
c. No, no _____ _____ laves.
d. No, no _____ _____ compréis.
e. No, no _____ _____ abrochéis.
f. No, no __te__ __la__ pongas.
g. No, no _____ _____ pruebes.
h. No, no _____ _____ comáis.

b. Ahora, ponga las respuestas del ejercicio a en las formas *usted* o *ustedes*.

1. _____ **No, no se la ponga** _____
2. _____
3. _____
4. _____
5. _____
6. _____
7. _____
8. _____

6 **Conteste negativamente. (Forma *tú*).**

1. ¿Cuento la historia a Miguel? → __No, no se la cuentes.__
2. ¿Leo el libro al niño? → _____
3. ¿Pongo los guantes al bebé? → _____
4. ¿Doy las croquetas al gato? → _____
5. ¿Quito el CD a Patricia? → _____
6. ¿Traigo las revistas a Manoli? → _____
7. ¿Pido la cuenta al camarero? → _____
8. ¿Escribo los e-mails a Juan? → _____

LA VIDENTE

> Aprobarás, aprobarás... Y se cumplirán **muchos de tus sueños**, **comprarás** una moto dentro de unos meses...

CARMEN DE LA CRUZ
ADIVINO TU FUTURO
NUNCA FALLO

> **Compraré** una moto, **volverá** mi novia... **Pasaré** unos días en el hospital... ¡Pero qué dice!

La vidente: ¿Quieres hacerme una pregunta en particular?

Óscar: Sí, los estudios.

La vidente: Los estudios, bien. Relájate, y no cruces las piernas. A ver qué cuentan las cartas, te lo diré todo. Corta. ¿Derecha o izquierda?

Óscar: Derecha.

La vidente: Vamos a ver... Este año aprobarás los exámenes y...

Óscar: Este año no tengo exámenes, me examinaré el año que viene.

La vidente: Aprobarás, aprobarás... Y se cumplirán muchos de tus sueños, comprarás una moto dentro de unos meses...

Óscar: ¿Compraré una moto? Yo no tengo carné...

La vidente: Y aquí, veo... veo... Te has peleado con tu novia, pero volverá, te lo aseguro, no te preocupes, y viviréis juntos a partir del verano que viene.

Óscar: ¿Mi novia? ¿Viviremos juntos? Yo no tengo novia.

La vidente: Tu piso actual no te gusta... Pero en mayo encontrarás otro, más grande y más bonito, te encantará.

Óscar: ¿Mi piso? Yo vivo con mis padres. Usted no ve nada. Yo le voy a decir lo que va a pasar: dentro de un minuto, me levantaré y me iré.

La vidente: Son ochenta euros.

Óscar: ¡¡Ochenta euros!! ¡Ni hablar!

La vidente: Ten cuidado... Las cartas también me han dicho que pasarás unos días en el hospital.

Óscar: Unos días en el hospital... Sí, esta semana, ¿no?

La vidente: Ten cuidado...

FORMAS

HABL**AR**	COM**ER**	ESCRIB**IR**
hablar**é**	comer**é**	escribir**é**
hablar**ás**	comer**ás**	escribir**ás**
hablar**á**	comer**á**	escribir**á**
hablar**emos**	comer**emos**	escribir**emos**
hablar**éis**	comer**éis**	escribir**éis**
hablar**án**	comer**án**	escribir**án**

REFERENCIAS TEMPORALES

El futuro se suele usar con las siguientes referencias temporales:
- este mediodía, esta tarde, esta noche
- este año
- este verano, este otoño
- mañana, pasado mañana
- dentro de un día / mes / año / siglo...
- dentro de dos / tres / ... días / meses / años...
- pronto; en breve
- luego, después, más tarde
- el lunes que viene, el martes que viene... (= el próximo lunes...)
- el fin de semana que viene, el mes que viene, el verano que viene, el año que viene...
  (= el próximo mes...)
- en el año 2080...

USOS

- Hablar de acciones futuras.
  *Te lo **diré** todo.*
  *Me **examinaré** el año que viene.*
  *Dentro de un minuto, **me levantaré** y **me iré**.*

- Hacer predicciones.
  *Este año **aprobarás** los exámenes.*
  ***Se cumplirán** muchos de tus sueños.*
  ***Viviréis** juntos a partir del verano que viene.*

1 Complete los cuadros.

PRESENTE	FUTURO
vamos	iremos
vuelves	
piden	
das	
escojo	
confía	
cierran	
te vistes	
sigo	
duermen	
conduzco	

P. INDEFINIDO	FUTURO
pagué	
fuiste	
construyeron	
dio	
cayó	
oyeron	
trajimos	
produjo	
vi	
prefirió	
estuviste	

P. PERFECTO	FUTURO
has visto	
habéis hablado	
ha salido	
he roto	
han escrito	
habéis tenido	
hemos abierto	
he leído	
has llegado	
hemos vuelto	
han comido	

P. IMPERFECTO	FUTURO
eran	
viajaba (él)	
esperaban	
describíamos	
dejaban	
íbamos	
comprendía (él)	
dirigíais	
empezabas	
me aburría	
veías	

2 Conteste a las preguntas según el modelo.

1. ¿Has visto la película?, No, la _____veré_____ mañana.
2. ¿Habéis hablado con Rocío?, No, _____ con ella el jueves.
3. ¿Julio compró el ordenador?, No, lo _____ este sábado.
4. ¿El profesor corrigió los ejercicios?, No, los _____ esta tarde.
5. ¿Tus padres han ido a Barcelona?, No, _____ el verano que viene.
6. ¿El director leyó el informe?, No, lo _____ mañana.
7. ¿Envío los e-mails?, No, los _____ yo más tarde.
8. ¿Caliento la sopa?, No, la _____ yo.

9. ¿Ha vuelto ya Antonio?,   No, _____ el lunes.

10. ¿Sirvo el café?,   No, lo _____ Elena.

11. ¿Has terminado el ejercicio?,   No, lo _____ después de comer.

12. ¿Habéis comido ya?,   No, _____ un poco más tarde.

13. ¿Ha llegado el avión?,   No, _____ con mucho retraso.

❸ Complete las frases con los verbos de la lista en futuro.

cenar   perder
bajar   tomar
✓volver   dar
llegar   ver
escuchar   comprar
volver   veranear
llover   volver

1. Esta noche (yo) _____**volveré**_____ pronto del trabajo

   y (yo) _____ un poco la tele.

2. Mañana (nosotros) _____ el autobús para ir al centro.

3. El sábado (yo) _____ en casa de un amigo.

4. En julio (vosotros) _____ en la playa.

5. Este fin de semana _____ las temperaturas y _____

6. Esta noche no nos esperes, (nosotros) _____ muy tarde.

7. Juan ha comprado unos CD, los _____ esta noche antes de cenar.

8. El domingo que viene, Beatriz _____ una fiesta en su casa por su cumpleaños.

9. Si no sales ahora, (tú) _____ tarde al aeropuerto y (tú) _____ el avión.

10. Este vestido es demasiado caro, no sé si lo (yo) _____

❹ Relacione y conjugue los verbos en futuro.

1. Si este fin de semana hace bueno,

2. Si me toca la lotería,

3. Si no sabes hacer el ejercicio,

4. Si no quieres ir sola a París,

5. Si tengo poca hambre,

6. Si te acuestas tarde,

7. Si ganamos el partido,

a. (comprarme) _____ una moto.

b. te (acompañar, nosotros) _____

c. mañana (estar, tú) _____ cansado.

d. (ir, nosotros) _____**iremos**_____ al campo.

e. te (ayudar, yo) _____

f. (pedir, yo) _____ una ensalada.

g. (jugar) _____ la final.

❺ Conteste según el modelo: leer   ganar   ✓aprobar   llamar   devolver   encontrar

1. Mañana tengo un examen.   No te preocupes, seguro que _**aprobarás.**_

2. El sábado jugamos la final.   No os preocupéis, seguro que _____

3. No tengo trabajo.   No te preocupes, seguro que _____ pronto.

4. José se ha enfadado conmigo.   No te preocupes, seguro que te _____ esta semana.

5. He escrito un e-mail importante a Luis.   No te preocupes, seguro que lo _____ hoy mismo.

6. Necesito mi móvil y lo tiene mi hermano.   No te preocupes, seguro que te lo _____ esta tarde.

UNA VISITA INESPERADA

Cristina: ¿Qué es eso?
Fernando: No lo sé... ¿Qué hora es?
Cristina: Serán las dos o las tres. Tengo miedo. Fernando, ¡haz algo! Ve a ver qué es.
Fernando: Vale, vale, tranquila... Voy a ver.

Cristina: ¡¡No abras!! Que me da miedo. Mira, un perrito, ¡qué bonito! ¡Qué bueno! ¿De dónde vendrá?
Fernando: No lo sé. Tendrá hambre.
Cristina: Sí, vamos a darle un poco de leche. ¡Mira qué bueno es!

Cristina: ¡Qué bueno es! Nos lo quedamos esta noche y mañana averiguamos de quién es. Sus amos estarán preocupadísimos.
Ves, se quiere quedar. Le vamos a poner en la cesta del salón.
Fernando: ¿No se hará pis en la alfombra?
Cristina: Oye, ha bebido mucha leche, ¿no se pondrá malo, verdad?

Fernando: ¿Y ahora qué pasa?
Cristina: No lo sé, querrá más leche... ¡Haz algo! Ve a ver qué le pasa.
Fernando: Vale, vale, tranquila... Voy a ver.

FORMAS IRREGULARES

decir	**dir**		
haber	**habr**		
hacer	**har**		**é**
poder	**podr**		**ás**
poner	**pondr**		**á**
querer	**querr**	+	**emos**
saber	**sabr**		**éis**
salir	**saldr**		**án**
tener	**tendr**		
valer	**vald**		
venir	**vendr**		

USOS (2)

• Expresar probabilidad en el presente (= Creer que).

Serán las dos o las tres. = Creo que son las dos o las tres.
Tendrá hambre. = Creo que tiene hambre.
Querrá más leche. = Creo que quiere más leche.

• Para hacerse preguntas en voz alta.

¿De dónde **vendrá**? = Me pregunto: ¿De dónde viene?
¿No **se hará** pis en la alfombra? = Me pregunto: ¿No se va a hacer pis en la alfombra?

❶ Escriba las formas en futuro en el crucigrama.

1. querer, vosotros	6. poder, ellos	11. querer, tú	16. venir, ustedes
2. decir, nosotros	7. hacer, ella	12. venir, tú	17. salir, tú
3. salir, ustedes	8. poner, vosotros	13. saber, nosotros	18. poner, yo
4. decir, tú	9. salir, nosotros	14. hacer, yo	19. saber, ellos
5. tener, yo	10. decir, vosotros	15. tener, nosotros	

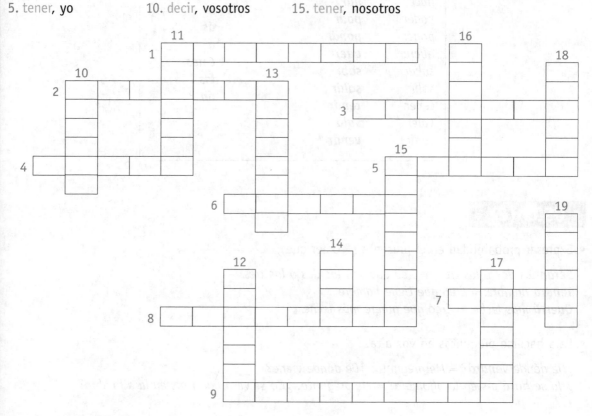

❷ Relacione, escriba las letras en los círculos.

a. No lo sé, tendrá unos veinte años.   b. Seguirá en la oficina.

c. Se levantará demasiado tarde.   ✓d. Serán las cuatro.   e. Será la vecina.

f. Estará en una reunión.   g. Querrá salir a la calle.   h. Tendrá hambre.

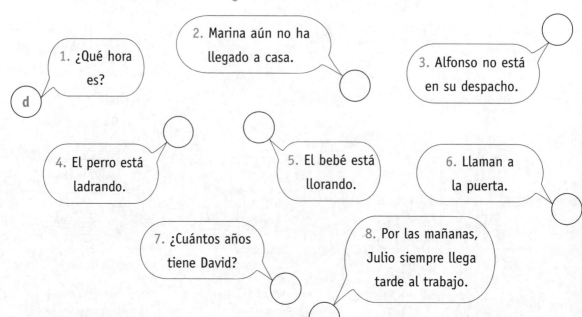

1. ¿Qué hora es?   **d**

2. Marina aún no ha llegado a casa.

3. Alfonso no está en su despacho.

4. El perro está ladrando.

5. El bebé está llorando.

6. Llaman a la puerta.

7. ¿Cuántos años tiene David?

8. Por las mañanas, Julio siempre llega tarde al trabajo.

❸ Transforme las frases según el modelo.

1. Celia no ha ido al cine con sus amigos.
   A lo mejor no le gusta la película. → No le gustará la película.

2. Rubén tose mucho y le duele la garganta.
   Tal vez tenga la gripe. →

3. Todas las mañanas, Bea llega al trabajo cansada.
   A lo mejor duerme muy poco por la noche. →

4. Sofía está delgadísima, ha perdido cuatro kilos.
   Tal vez esté a dieta. →

5. ¿Dónde están mis gafas?
   A lo mejor están en el cajón de la mesilla. →

6. Julián aún no ha llegado.
   Tal vez esté en un atasco. →

7. ¿Por qué no contesta Lucas al móvil?
   A lo mejor no oye el timbre. →

8. Luis nunca viaja en avión, prefiere el tren.
   Tal vez le dé miedo volar. →

❹ Ayude a cada persona a pensar en voz alta. Use los verbos de la lista.

irse   estar   ser   ✓costar   haber   tener   venir   hacer   llamar

1. ¿Cuánto ____costará____
   este vestido?

2. ¿Quién _____ a
   estas horas?

3. Pobrecito,
   _____ hambre.

4. ¿De dónde
   _____?

5. ¿Quién _____
   ese chico tan guapo?

6. ¿Adónde _____
   de vacaciones?

7. No contesta,
   _____
   en casa de José.

8. ¿Qué tiempo
   _____
   en Barcelona?

9. ¡Una hora de retraso!
   _____
   muchos atascos.

PROBÁNDOSE ROPA PARA UNA BODA

Alicia:	¿Qué te vas a poner para ir a la boda de Carlos?
Patricia:	Todavía no lo sé. Me gustaría ponerme algo... algo... No sé...
Alicia:	Yo que tú me pondría ese vestido rojo, el del escote impresionante. Te queda fenomenal.
Patrica:	No sé, ya me lo he puesto dos veces. No sé... Preferiría llevar algo más original, superelegante.
Alicia:	Mira, yo me voy a poner este vestido negro. ¿Qué te parece?
Patricia:	¡Precioso! ¡Me encanta!
Alicia:	Me lo voy a probar. ¿Te importaría pasarme los zapatos negros? Mira, están ahí, debajo de la mesilla.
Patricia:	Sí, toma.
Alicia:	¿Qué tal me queda?
Patricia:	No sé... Me parece demasiado largo. Deberías ponerte algo más corto. A ver... Pruébate esta falda y esta chaqueta.
Alicia:	¡Para una boda! ¿Tú crees? ¿No es demasiado clásico?
Patricia:	¡Qué va! Y con estos zapatos azules, seguro que vas a estar guapísima.
Alicia:	¿Tú crees? No sé, no me convence.
Patricia:	Que sí... Oye... Me gustaría probarme tu vestido.
Alicia:	¿Cuál?
Patricia:	El negro...
Alicia:	Bueno... Pruébatelo.
Patricia:	Ayúdame con la cremallera... ¡Me encanta! Es precioso.
Alicia:	Seguro que también te gustaría ponerte los zapatos negros...

FORMAS

• **Verbos regulares**

HABL**AR**	COM**ER**	ESCRIB**IR**
hablar**ía**	comer**ía**	escribir**ía**
hablar**ías**	comer**ías**	escribir**ías**
hablar**ía**	comer**ía**	escribir**ía**
hablar**íamos**	comer**íamos**	escribir**íamos**
hablar**íais**	comer**íais**	escribir**íais**
hablar**ían**	comer**ían**	escribir**ían**

• **Verbos irregulares** (los mismos que en futuro)

decir	**dir**		**ía**	saber	**sabr**		**ía**
haber	**habr**		**ías**	salir	**saldr**		**ías**
hacer	**har**		**ía**	tener	**tendr**		**ía**
poder	**podr**	+	**íamos**	valer	**valdr**	+	**íamos**
poner	**pondr**		**íais**	venir	**vendr**		**íais**
querer	**querr**		**ían**				**ían**

USOS

• **Expresar deseos con** *Me gustaría* + infinitivo / *Preferiría* + infinitivo

(A mí)	**me** gustaría	
(A ti)	**te** gustaría	
(A él/ella/usted)	**le** gustaría	
(A nosotros/as)	**nos** gustaría	**+ infinitivo**
(A vosotros/as)	**os** gustaría	
(A ellos/ellas/ustedes)	**les** gustaría	

Me gustaría probarme tu vestido.
Te gustaría ponerte los zapatos negros.
Preferiría llevar algo más original.

• **Formular demandas con cortesía**

¿**Podrías** prestarme tu vestido?
¿**Sería** tan amable de ayudarme?
¿Te **importaría** pasarme los zapatos negros?

(A ti)	**te** importaría	
(A usted)	**le** importaría	
(A vosotros/as)	**os** importaría	**+ infinitivo**
(A ustedes)	**les** gustaría	

• **Aconsejar**
Deberías ponerte algo más corto.
Yo que tú me **pondría** ese vestido rojo.

• **En construcciones condicionales** (ver página 119) **y en el estilo indirecto** (ver página 119).

1 Localice las formas en la cadena de verbos.

ESTOYDIRÍASVANSEGUIRÍANDASVOYREPETIRÍADICECOGEENTENDERÍAMOSELIGETOCARÍASANDEDIGAVENDERÍAMOSCALEERESVERÍASONDISALUDARÍASICUENTATENDRÍACREEDAISSABRÍAISENVÍAVEIAHEHABLARÍAIANDIRIGEHABRÍAVENDRÍACOMERÍAMOSDEJÁISOLVIDARÍASCOMÍAIBAPROTEGERÍASALDRÍANSALÍASPERDERÍAMOSPEDIRÍAISPUSOTRADUCIRÍADIJUODECÍAMENTIRÍASBAILACOMELLEGARÍAMOSCAMBIARÍALLENARÍASGANABAERAVISVOLVERÍAVEIAEXIGIRÍADIRIGÍACAMINARÍAISLEÍAVEÍAQUERRÍANLLEVARÍASGANÓCOMPRARÍASALÍASDABAHARÍAMOSPODRÍAEMPEZARÍAPONÍANPROBARÍAHICEPARACORRERÍAMOSTORCÍASCONSTRUIRÍANBEBERÍADIRIGÍACAMINARÍAIS

✓beber, ella	olvidar, tú
cambiar, yo	pedir, vosotros
caminar, vosotros	perder, nosotros
comer, nosotros	poder, ella
comprar, yo	poner, tú
construir, ellos	probar, él
correr, nosotros	proteger, él
decir, tú	querer, ustedes
empezar, yo	repetir, usted
encender, ellos	saber, vosotros
entender, nosotros	salir, ellos
escribir, ella	saludar, tú
exigir, nosotros	seguir, ellos
explicar, yo	tener, yo
haber, yo	tocar, tú
hablar, ellos	traducir, yo
hacer, nosotros	vender, nosotros
llegar, nosotros	venir, usted
llenar, tú	ver, él
llevar, tú	volver, usted
mentir, tú	

2 ¿Qué le gustaría a cada persona?

estar   casarse   comer   ✓tener   comprar   visitar   jugar   dormir

1. __Le gustaría tener un perro.__

2. _____

3. _____

4. _____

5. _____ 6. _____ 7. _____ 8. _____

_____ _____ _____ _____

_____ _____ _____ _____

❸ ¿Qué pediría en cada situación?
Relacione y complete las frases.

bajar ✓ayudarme mover decirme traer llamarme

1. (A un compañero) No sabe hacer un ejercicio de gramática.

2. Su vecino tiene la tele muy alta.

3. Un hombre ha aparcado su coche delante del suyo, y usted no puede salir.

4. (Al camarero) En el restaurante, su tenedor está sucio.

5. Un amigo le llama por teléfono, pero ahora no puede hablar.

6. (A una chica joven) En la calle, no sabe dónde está el metro.

a. ¿Sería tan amable de _____ el volumen de la tele?

b. ¿Podrías _____ dónde hay una boca de metro?

c. ¿Te importaría _____ más tarde?

d. ¿Me podría _____ otro tenedor, por favor?

e. ¿Le importaría _____ un poco el coche?

f. ¿Podrías **ayudarme** ?

❹ Dé un consejo a cada uno de estos amigos suyos.
Escriba el verbo más apropiado.

1. A Santi: le duelen los dientes.

2. A Alfonso: se ha enfadado con su novia.

3. A José Juan: va a una entrevista de trabajo.

4. A Sara: está con ella en un restaurante y usted sabe que el pescado no es muy bueno.

5. A Marta: últimamente, ha engordado un poco.

6. A Alberto: su coche funciona fatal.

7. A María: tiene una semana de vacaciones.

Yo que tú _____**iría**_____ al dentista.

Yo que tú le _____ flores.

Yo que tú me _____ un traje.

Yo que tú _____ carne.

Yo que tú _____ deporte.

Yo que tú lo _____ al taller.

Yo que tú no me _____ en casa.

EN EL PARQUE DE ATRACCIONES

Mami, quiero que me compres un helado.

Espero que empiece pronto la sesión, mira qué cola!!

Te aconsejo que lleguéis lo antes posible, hoy cierran a las nueve. Ah... y que aparques detrás del parque, en la entrada ya no hay plazas. Hasta luego.

¿Quieres que nos sentemos en ese banco?

Venga... ¡Que te mejores!

No tiene gracia... Estoy fatal.

Pablo:	Mira la montaña rusa, ¡seguro que es genial! ¿Quieres que me monte contigo?
Irene:	No, no... Prefiero que te subas tú solo, y yo te miro desde aquí.
Pablo:	¡Tienes miedo!
Irene:	No... no tengo miedo.
Pablo:	Pues nos montamos.
Irene:	Venga, nos montamos.
Pablo:	Te aconsejo que te abroches bien el cinturón y que cierres los ojos en las curvas...
Irene:	Vale.
Pablo:	Ah... Como es la primera vez que te montas, mira... ¿Ves allí arriba? Vamos a estar con la cabeza abajo, ¡es genial! Te recomiendo que no mires abajo, para no marearte.
Irene:	Espero que no nos quedemos mucho tiempo así.
Pablo:	No, tranquila, solo unos segundos. ¡¡Pero te va a encantar!!

¡¡Esto es genial!! ¡Me encantaaaa aaaaaaaaa!

Que me mareo... ¡¡¡Quiero que esto se pare ahora mismo!!!

FORMAS REGULARES

HABL**AR**	COM**ER**	ESCRIB**IR**
habl**e**	com**a**	escrib**a**
habl**es**	com**as**	escrib**as**
habl**e**	com**a**	escrib**a**
habl**emos**	com**amos**	escrib**amos**
habl**éis**	com**áis**	escrib**áis**
habl**en**	com**an**	escrib**an**

- Verbos en -**c**ar: **c** → **qu**   bus**qu**e, bus**qu**es, bus**qu**e...
- Verbos en -**z**ar: **z** → **c**   lan**c**e, lan**c**es, lan**c**e...
- Verbos en -**g**ar: **g** → **gu**   pa**gu**e, pa**gu**es, pa**gu**e...
- Verbos en -**g**er: **g** → **j**   co**j**a, co**j**as, co**j**a...
- Verbos en -**g**ir: **g** → **j**   diri**j**a, diri**j**as, diri**j**a...
- Algunos verbos en -**i**ar: **i** → **í** (excepto en las formas nosotros, vosotros): ampl**i**ar, conf**i**ar, desconf**i**ar, enfr**i**ar, env**i**ar, esqu**i**ar, gu**i**ar, l**i**ar, resfr**i**arse, vac**i**ar...
- Algunos verbos en -**u**ar: **u** > **ú** (excepto en las formas nosotros, vosotros): acent**u**ar, act**u**ar, contin**u**ar, efect**u**ar, sit**u**ar...

FORMAS IRREGULARES (1)

J**U**GAR	C**E**RRAR*	V**O**LVER**
j**ue**gue	c**ie**rre	v**ue**lva
j**ue**gues	c**ie**rres	v**ue**lvas
j**ue**gue	c**ie**rre	v**ue**lva
j**u**guemos	cerremos	volvamos
j**u**guéis	cerréis	volváis
j**ue**guen	c**ie**rren	v**ue**lvan

* – cal**e**ntar, conf**e**sar, desp**e**rtar, enc**e**rrar, ent**e**rrar, gob**e**rnar, manif**e**star, mer**e**ndar, n**e**var, p**e**nsar, recom**e**ndar, s**e**mbrar, s**e**ntarse, t**e**mblar...
– def**e**nder, enc**e**nder, p**e**rder, qu**e**rer...

** – dev**o**lver, env**o**lver, ll**o**ver, m**o**rder, m**o**ver, p**o**der...
– ac**o**rdarse, ac**o**starse, apr**o**bar, compr**o**bar, cons**o**lar, c**o**ntar, c**o**star, dem**o**strar, enc**o**ntrar, m**o**strar, pr**o**bar, rec**o**rdar, s**o**ltar, s**o**nar, s**o**ñar, v**o**lar...

- Verbos en -**z**ar: -**z** → -**c**   empie**c**e, empie**c**es...   empe**z**ar, comen**z**ar, almor**z**ar...
- Verbos en -**g**ar: -**g** → -**gu**   frie**gu**e, frie**gu**es...   fre**g**ar, ne**g**ar, re**g**ar, col**g**ar...
- Verbos en -**c**er: -**c** → -**z**   tuer**z**a, tuer**z**as...   co**c**er, tor**c**er...

USOS (1)

- **Formular deseos**
  ¡Que te **mejores**! ¡Ojalá **haga** bueno esta tarde! Espero que **empiece** pronto la sesión.

- **Expresar la voluntad**

• **Querer** que • **Prohibir** que • **Necesitar** que	+ presente de subjuntivo
• **Pedir** que • **Preferir** que • **Decir** que	

¿Quieres que me **monte** contigo?
Prefiero que te **subas** tú solo.

La persona que expresa la voluntad es diferente a la que realiza la acción: *Prefiero (YO) que te subas (TÚ) tú solo.*

- **Dar consejos**

• **Aconsejar** que • **Sugerir** que • **Recomendar** que	+ presente de subjuntivo

Te aconsejo que te **abroches** bien el cinturón y te recomiendo que no **mires** abajo.

1 **Localice las formas en la sopa de letras.**

1. abrir, tú ✔	7. girar, él	13. unir, yo	19. invitar, yo
2. comer, yo	8. hablar, ellos	14. vender, ustedes	20. entrar, vosotros
3. escribir, vosotros	9. poseer, yo	15. vivir, él	21. dudar, ustedes
4. correr, ellos	10. sorprender, tú	16. romper, tú	22. cenar, él
5. imprimir, tú	11. subir, nosotros	17. permitir, ellas	23. añadir, yo
6. firmar, nosotros	12. pasar, vosotros	18. anotar, tú	24. asistir, vosotros

A	C	O	M	A	N	M	P	O	S	E	A	P	Ñ
A	G	R	T	Y	H	H	A	B	L	E	N	G	I
B	S	F	I	R	M	E	M	O	S	I	R	S	N
R	P	E	R	M	I	T	A	N	A	M	R	O	V
A	A	E	V	R	O	M	P	A	S	P	S	R	I
S	N	N	E	A	Ñ	A	D	A	I	R	C	P	T
A	O	T	N	Z	A	I	G	Ñ	S	I	X	R	E
W	T	R	D	C	R	L	I	M	T	M	W	E	Z
V	E	É	A	O	F	J	R	L	Á	A	P	N	C
I	S	I	N	R	E	G	E	T	I	S	A	D	E
V	E	S	C	R	I	B	Á	I	S	P	S	A	N
A	T	Ñ	Q	A	L	M	S	D	U	O	É	S	E
O	U	I	P	N	D	U	D	E	N	U	I	U	S
S	U	B	A	M	O	S	C	V	A	N	S	Y	E

2 **Complete con e, ie, o, ue.**

1. gob____rne	6. recom____nden	11. res____lváis	16. p____nsemos
2. m____stréis	7. mer____ndéis	12. nos ac____stemos	17. rec____rde
3. se ac____rden	8. compr____ben	13. cal____ntes	18. s____ñes
4. v____lvamos	9. apr____bemos	14. ll____va	19. desp____rtemos
5. c____rren	10. enc____ntres	15. n____ve	20. os s____ntéis

3 **Ponga los verbos en presente de subjuntivo.**

CRUZAR	APAGAR	EMPEZAR	SITUAR	NEGAR
cruce				

PROTEGER	TORCER	EXPLICAR	EXIGIR

❹ Observe las ilustraciones y escriba en cada bocadillo la letra de la frase correspondiente.

a. Necesito que compres un paquete de arroz.

b. ¿Quieres que te acompañe a la estación?

c. Quiero que termines los deberes antes de cenar.

d. ¿Quieres que te lleve unas bolsas?

e. Necesito que me ayudes.

f. Te prohíbo que vuelvas después de las diez.

❺ Relacione cada situación con un consejo y ponga los verbos en presente de subjuntivo.

Un amigo suyo...

1. Tiene que coger un avión.

2. Va a la fiesta de cumpleaños de una amiga.

3. Necesita un aumento de sueldo para comprar un piso.

4. Va a Madrid este fin de semana.

5. Va a Barcelona y no sabe dónde dormir.

6. Quiere adelgazar un poco.

a. Te recomiendo que (llegar) __lllegues__ dos horas antes al aeropuerto.

b. Te recomiendo que (visitar) _____ el Prado.

c. Te aconsejo que le (llevar) _____ flores.

d. Te recomiendo que (comer) _____ mucha verdura.

e. Te aconsejo que (alojarse) _____ en el Hotel Praga.

f. Te sugiero que (hablar) _____ con el director.

EN EL TREN

¿Y dónde está Marina?

Estará en el taxi todavía, a estas horas es muy probable que haya atascos.

¿Nos da la carta para que elijamos los sándwiches?

Toma te he comprado estos pasatiempos para que hagas crucigramas en el tren.

Por supuesto.

Adiós, buen viaje. Llámame esta noche.

Vale. ¿Qué vas a hacer hoy?

No lo sé, quizá vaya a casa de mi madre con los niños.

El chico:	Hola, ¿te importa que me ponga ahí?
La chica:	No, no.
El chico:	Eh... La bolsa... Para que pueda sentarme. Te la subo si quieres...
La chica:	Sí, claro.
El chico:	Mira, la pongo así, tumbada, para que no se caiga.
La chica:	Sí... Gracias.
El chico:	¿Te molesta que vea una película en mi PC?
La chica:	No, no...
El chico:	¿Te molesta que me coma un bocadillo de chorizo frito?
La chica:	No, no...
Diez minutos después...	
El chico:	Eh... Perdona, ¿puedes echar la cortina, para que no me dé el sol?
La chica:	Sí, claro.
El chico:	¿Te importa que duerma un rato? Estoy muy cansado.
La chica:	No, no...
El chico:	¿Qué es esto? ¿Qué pasa?
La chica:	¿Te ha molestado?

FORMAS IRREGULARES (2)

• **Verbos en ir: e → i, e → i/ie, o → ue/u**

PEDIR*	MENTIR**	DORMIR***
pida	mienta	duerma
pidas	mientas	duermas
pida	mienta	duerma
pidamos	mintamos	durmamos
pidáis	mintáis	durmáis
pidan	mientan	duerman

* competir, despedir, impedir, medir, repetir, servir, vestirse...

** Verbos en -entir, -ertir, -ervir, -erir (excepto servir).

*** morirse.

• Verbos en -gir: -g → -j   corrija, corrijas...   corregir, elegir
• Verbos en -guir: -gu → -g   siga, sigas... conseguir, seguir
• Verbo reírse   me ría, te rías, se ría...   sonreír

• **Otros verbos irregulares**
  – Verbos en -CER/-CIR: **c → zc**
    CONDUCIR   conduzca, conduzcas, conduzca, conduzcamos, conduzcáis, conduzcan
  – Verbos en -UIR: **i → y**
    INCLUIR   incluya, incluya, incluya, incluyamos, incluyáis, incluyan
  – **CAER**   caiga, caigas, caiga, caigamos, caigáis, caigan
  – **DAR**   dé, des, dé, demos, deis, den
  – **DECIR**   diga, digas, diga, digamos, digáis, digan
  – **ESTAR**   esté, estés, esté, estemos, estéis, estén
  – **HABER**   haya, haya, haya, hayamos, hayáis, hayan
  – **HACER**   haga, hagas, haga, hagamos, hagáis, hagan
  – **IR**   vaya, vayas, vaya, vayamos, vayáis, vayan
  – **OÍR**   oiga, oigas, oiga, oigamos, oigáis, oigan
  – **PONER**   ponga, pongas, ponga, pongamos, pongáis, pongan
  – **SABER**   sepa, sepas, sepa, sepamos, sepáis, sepan
  – **SALIR**   salga, salgas, salga, salgamos, salgáis, salgan
  – **SER**   sea, seas, sea, seamos, seáis, sean
  – **TENER**   tenga, tengas, tenga, tengamos, tengáis, tengan
  – **TRAER**   traiga, traigas, traiga, traigamos, traigáis, traigan
  – **VALE**   valga, valgas, valga, valgamos, valgáis, valgan
  – **VENIR**   venga, vengas, venga, vengamos, vengáis, vengan
  – **VER**   vea, veas, vea, veamos, veáis, vean

FORMULAR HIPÓTESIS, PROBABILIDAD: *quizá(s), tal vez, es probable que, es posible que, puede que* + presente de subjuntivo

*Quizá **vaya** a casa de mi madre. Es muy probable que **haya** atascos.*

EXPRESAR FINALIDAD: *para que* + presente de subjuntivo

*Te he comprado estos pasatiempos para que **hagas** crucigramas en el tren.*

PEDIR PERMISO: *molestar / importar* + presente de subjuntivo

*¿Te importa que me **ponga** ahí?*   *¿Te molesta que **vea** una película en mi PC?*

1 Coloque los pequeños recuadros en la sopa de letras y lea, horizontalmente, 16 formas irregulares en presente de subjuntivo. Escriba los infinitivos de cada una.

I	R		D	A		A			C	O	T	A		A	N
E	P		N	T		N	S		L	I	V	A		A	S
U	E		P	I		A			T	A	M	A		M	I
I	D		D	U		U	E		S		I	E			P

D	U	E		R	M	A			S				V	A	N
P	I	D		Á	I	S			R				I		
			D	E	S				D	A	M	O			
			D	A					R		M	O	S		
			I			N			M		N				
M	I	E				A	S			S	I	R			
			R	R	I	J				S	I	G	A		
E			J			M				R					
			C	O			I	G	Á	I					

dormir, _____

_____

2 Localice las formas.

REDUZCANPONGANQUISECONDUZCASVOLVIERONDOYVAYANCONOZCAN...

...AZCAESPERÁISSALGAMOSINCLUYAMOSTENGASERÉHAGOOFREZCAVENGAS...

DISTRIBUYA

...SEPANAZCAESPERÁIS... PRODUZCÁISDIGÁISDASDISTRIBUYA

caer, vosotros ✔	poner, ustedes
conducir, tú	producir, vosotros
conocer, ellos	disminuir, ella
dar, él	reducir, ellas
decir, vosotros	saber, usted
distribuir, yo	salir, nosotros
estar, nosotros	ser, usted
nacer, él	tener, yo
hacer, yo	traducir, tú
incluir, nosotros	traer, ellos
ir, ellos	valer, él
ofrecer, yo	venir, tú
oír, tú	ver, nosotros

❸ Transforme las frases, según el modelo.

1. Si te doy este diccionario, harás la traducción.

   <u>Te doy este diccionario para que hagas la traducción.</u>

2. Si os cuento toda la historia, sabréis la verdad.

   _____

3. Si les damos una habitación que da al patio del hotel, estarán más tranquilos.

   _____

4. Mañana vienen unos amigos a cenar. Si te invito también, los conocerás.

   _____

5. Si el camarero nos trae la carta, elegimos los postres ahora.

   _____

6. Si hablo más alto, me oiréis todos.

   _____

❹ Observe las ilustraciones. Complete las frases con los verbos en presente de subjuntivo (forma *yo*). Luego escriba las letras en los bocadillos correspondientes.

poner ✔servir salir ver dar seguir

a. ¿Te molesta que _____ por esta calle, así llegamos antes?

b. ¿Te importa que _____ de comer al niño antes?

c. ¿Te importa que _____ este CD, es que me encanta?

d. ¿Te molesta que _____ con mis amigas esta noche?

e. ¿Te importa que me _____<u>sirva</u>_____ ot

f. ¿Te molesta que _____ un p

LA SORPRESA

Marcos: ¿Ponemos las mesas alrededor del aula?

Belén: Vale, y cuando llegue José con las botellas de cava preparamos los platos con los canapés.

José: ¡Chicos, el cava!

Belén: Venga, a preparar los canapés...

Marcos: Lucía, son ya las dos menos cuarto, mira por la ventana, y avisa tan pronto como veas llegar a Marina.

Lucía: Vale.

José: Deprisa, tenemos que recoger el aula antes de que llegue. ¿Dónde están las bolsas de basura?

Belén: Toma, te ayudo.

Diez minutos después...

Lucía: ¡Ya viene! Lucía, enciende las velas de la tarta antes de que llegue, deprisa.

Marcos: Y en cuanto entre, abrimos la botella de cava.

Marina: Son las dos, ¡qué extraño! ¿Dónde estarán mis estudiantes?

Lucas: Hola Marina.

Marina: Hola, qué extraño, no hay nadie.

Lucas: Yo doy clase a las tres y media. ¿Te invito a un café?

Marina: Sí, gracias. ¿Dónde estarán mis estudiantes? ¿Los has visto?

Una hora después...

USOS (3): en oraciones temporales con *cuando, en cuanto, tan pronto como, antes de que*

Imperativo Presente Futuro	cuando / en cuanto tan pronto como antes de que	presente de subjuntivo
Preparamos los platos	*cuando*	*llegue José con las botellas de cava.*
Enciende las velas de la tarta	*antes de que*	*llegue.*
Los alumnos cantarán el cumpleaños feliz	*en cuanto*	*entre Marina.*

El verbo en imperativo, presente o futuro, también puede ir al final de la frase.

Cuando llegue José con las botellas de cava, preparamos los platos.

Antes de que llegue, enciende las velas de la tarta.

Cuando entre Marina, los alumnos cantarán el cumpleaños feliz.

1 Repaso... Complete los cuadros.

FUTURO	P. DE SUBJ.	P. PERFECTO	P. DE SUBJ.
harás	**hagas**	habéis vuelto	
sabremos		has visto	
saldrán		hemos hecho	
vendré		han abierto	
podrán		has cubierto	
tendrá		he dicho	
diréis		hemos oído	
pondremos		he puesto	
querré		ha escrito	
IMPERATIVO	P. DE SUBJ.	P. INDEFINIDO	P. DE SUBJ.
pon		estuviste	
vean		entendí	
oye		pagaron	
trae		fregaste	
ve		realizaste	
venid		leyeron	
da		eligió	
salid		almorzaste	
haced		comenzó	

2 Complete los bocadillos con los verbos de la lista.
Luego, relacione las frases con una ilustración.

llegar   poder   ✔terminar   estar   dejar   volver

Cuando _____ tu padre del trabajo.

Cuando __termine__ el informe.

1. ¿Cuándo empieza la reunión?

2. Tengo hambre. ¿Cuándo cenamos?

5. Llámame cuando _____ lista la cena.

3. ¿Cuándo nos vamos?

4. Por favor, cuando _____, ven a ayudarme.

Cuando _____ de llover.

6. Adiós, te llamo cuando _____ a Roma.

3 **Transforme las frases. Use** *En cuanto/Tan pronto como*.

1. Nada más llegar a casa, te llamo.

En cuanto llegue a casa, te llamo.

Tan pronto como llegue a casa, te llamo.

2. Nada más ver a Luis, le daré el libro.

3. Nada más irse los clientes, leeré el informe.

4. Esta noche, nada más cenar, me acuesto.

5. Nada más saber los resultados, te llamo.

6. Nada más dormirse el niño, nos vamos.

7. Nada más elegir el menú, llamo al camarero.

8. Nada más ponerme el abrigo, salimos.

4 **Transforme las frases según el modelo.**

1. El director comercial va a venir. Termina el informe.

2. Se va a poner a llover. Tenemos que salir.

3. La panadería va a cerrar. Ve a comprar el pan.

4. El café se va a enfriar. Tómate el café.

5. La película va a empezar. Cómete el postre.

6. Me voy a morir de frío. Pon la calefacción.

7. El autobús va a llegar. Compra los billetes.

8. Voy a servir la carne. Termínate los entremeses.

9. Mis padres van a llegar. Tengo que recoger el salón.

10. Va a anochecer. Tenemos que irnos.

1. Termina el informe, antes de que venga el director comercial.

2.

3.

4.

5.

6.

7.

8.

9.

10.

EL DESPIDO

Manuel:	¿Quién quiere más café?
Mercedes:	Yo, por favor. Gracias. ¿Os habéis enterado de lo de Alfonso?
Andrés:	No, ¿qué ha pasado?
Mercedes:	Lo han despedido, se va el viernes.
Manuel:	¡Cómo! ¡Lleva doce años en la empresa!
Nuria:	¿Y qué te dijo?
Mercedes:	Nada... Pero creo que no se llevaba muy bien con el jefe y... bueno, ya sabéis cómo es Juan... Le citó en su despacho el martes y le dijo que no podía seguir en la empresa.
Manuel:	Es una vergüenza que despida a la gente de esta manera.
Nuria:	Es increíble que haga eso, no hay derecho.
Andrés:	Pues a mí me preocupa que nos pueda despedir a nosotros también.
Manuel:	¿Y cuando dijiste que se iba?
Mercedes:	El viernes es su último día. Es una pena que se vaya.
Nuria:	Yo también siento que se vaya, era un buen compañero. No es bueno que ese día se quede solo.
Andrés:	Deberíamos hacer algo todos después del trabajo.
Mercedes:	Sí, seguro que le hará ilusión que estemos con él. ¿Vamos a cenar al Quijote?
Nuria:	No, una cena, no. Creo que es mejor que le compremos un regalo entre todos y tomemos algo en una cafetería. ¿Qué os parece?
Manuel:	Muy bien.
Mercedes:	Sí, perfecto.
Andrés:	Sí, es lo mejor.
Nuria:	Entonces, mañana hablo con los demás compañeros para elegir el regalo.
Manuel:	¿Quién quiere más café?
Andrés:	Yo, por favor.

EXPRESAR OPINIONES, VALORACIONES, SENTIMIENTOS

- **Ser + adjetivo + que**
  *No es bueno que ese día **se quede** solo.*
  *Es increíble que **haga** eso.*
  *Es mejor que le **compremos** un regalo entre todos.*

Ser	• bueno que • malo que • genial que • mejor que • increíble que • extraño que • horrible que	+ presente de subjuntivo

- **Es + un/una + nombre + que**
  *Es una pena que **se vaya**.*
  *Es una vergüenza que **despida** a la gente
  de esta manera.*

Ser	• una lástima que • una pena que • una vergüenza que • tontería que	+ presente de subjuntivo

- **Verbo de sentimiento/opinión + que**

• (no) gustar que, encantar que, (no) hacer ilusión que,
  alegrarse de que
• doler que
• molestar que, disgustar que, fastidiar que, no soportar que,
  no aguantar que, horrorizar que, preocupar que, odiar que,
  poner nerviosa que
• dar pena que, sentir que
• alegrarse de que, poner de mal/buen humor que
• (no) extrañar que, sorprender que, asombrar que
• avergonzar que
	+ presente
	de subjuntivo

*Me preocupa que nos **pueda** despedir a nosotros también.*
*Siento que **se vaya**.*

La persona que expresa el sentimiento es diferente a la que **realiza la acción**:
*Siento (**YO**) que se vaya (**ALFONSO**).*
*¿Te molesta (**TÚ**) que no me quede (**YO**)?*
*Nos alegramos (**NOSOTROS**) de que **compréis** (**VOSOTROS**) un regalo para Alfonso.*

1 **Relacione cada situación con una frase.**

1. Me duele mucho la cabeza.

a. Es genial que conozcas a tanta gente.

2. Mañana celebro mi cumpleaños y van a venir 30 amigos.

b. Es increíble que el director pueda despedir a la gente así.

3. Estoy un poco deprimido.

c. Es extraño que no esté en su despacho, siempre es muy puntual.

4. Mis hijos juegan al baloncesto los miércoles.

d. Es malo que te quedes solo.

5. Alfredo ya no trabaja en la empresa.

e. Es bueno que practiquen deporte.

6. El director comercial aún no ha llegado.

f. Es mejor que llames al médico.

7. He llamado tres veces a casa de Lola, pero no contesta.

g. Es muy extraño que no conteste, nunca sale.

2 **Forme frases según el modelo.**

1. Felipe se va de la empresa.　una lástima　<u>Es una lástima que Felipe se vaya de la empresa.</u>
2. David tiene pocos amigos　una pena　_____
3. La fruta está carísima.　una vergüenza　_____
4. No se quedan a cenar.　una tontería　_____
5. No venís a casa.　una lástima　_____
6. Lola no sabe usar Internet　una pena　_____

3 Ponga los verbos en presente de subjuntivo. Luego, relacione cada frase con una ilustración: escriba las letras en los bocadillos.

a. Me molesta que me (llamar, tú) _____**llames**_____ tan tarde, porque me despiertas.

b. No me gusta que (decir, vosotros) _____ palabrotas.

c. Me encanta que me (regalar, tú) _____ flores.

d. Me extraña que no (llamar) _____ Elena.

e. Me pone de mal humor que (haber) _____ atascos a estas horas de la tarde.

f. Me disgusta que Juan siempre (llegar) _____ tarde a las reuniones.

g. ¿No te sorprende que Luis aún no (estar) _____ en su despacho?

h. Me da pena que (estar, tú) _____ enferma.

i. ¿Te importa que (sentarme) _____ ahí?

j. Me pone nerviosa que (correr, tú) _____ tanto con el coche.

k. Me da pena que (irte) _____

l. Me alegro de que te (gustar) _____ el CD.

m. No soporto que (fumar, tú) _____ en el coche.

COMPRANDO ROPA

Mar: Tengo que comprarme un vestido.

Sonia: ¿Cómo lo quieres?

Mar: No sé... Que no sea muy largo y que tenga bolsillos.

Sonia: A mí no me gustan mucho esos vestidos. Mira, este verde, ¿qué te parece?

Mar: No sé... No, no... Ven, vamos a ver otras tiendas.

¿Y este?

Es corto y tiene bolsillos.

No, este no me gusta.

Ya... pero es demasiado estrecho y no creo que me siente muy bien. Vamos a ver otras tiendas.

Mar: En esta no hay nada.

Sonia: Dudo que encuentres lo que buscas, ya no se llevan esos vestidos.

Mar: Volvemos a la primera tienda, quiero probarme el vestido.

Sonia: ¿A la primera tienda? ¡Dijiste que no te gustaba! Y está muy lejos. Son las ocho menos veinte; cuando lleguemos, dudo que esté aún abierta.

Mar: Venga, si nos damos prisa seguro que llegamos a tiempo.

Dependienta: Buenas tardes.

Mar: Hola. Quería probarme el vestido verde del escaparate.

Dependiente: Muy bien, ¿qué talla usas?

Sonia: La 42.

Dependienta: Uff... La 42, no creo que me queden. Voy a ver... Lo siento, solo tengo el del escaparate.

Mar: ¿Qué talla es?

Dependienta: 40.

Mar: ¿Me lo puedo probar?

Dependienta: Por supuesto.

Sonia: Dijiste que no te gustaba...

DAR UNA OPINIÓN *dudar que, no creer que, no pensar que*

*No creo/No pienso que se **queden**.*
*No creo/No pienso que me **siente** muy bien.*
*Dudo que **encuentres** lo que buscas.*
*Dudo que **esté** aún abierta.*

EXPRESAR CONDICIONES *que* + presente de subjuntivo

*Quiero un vestido que no **sea** muy largo y que **tenga** bolsillos.*

❶ Conteste a cada pregunta según el modelo.

1. ¿Crees que vendrá Emilio?   NO CREER   <u>No, no creo que venga.</u>

2. ¿Crees que el domingo lloverá   NO CREER   _____

3. ¿Crees que habrá mucha gente en el cine? DUDAR _____

4. ¿Crees que llegarán antes de las dos?   NO PENSAR _____

5. ¿Crees que hará frío el sábado?   NO CREER   _____

6. ¿Crees que Luis volverá mañana?   DUDAR   _____

7. ¿Crees que Lola sabrá venir?   DUDAR   _____

8. ¿Crees que Sara llegará hoy?   NO PENSAR   _____

9. ¿Crees que Julio aprobará el examen? DUDAR   _____

10. ¿Crees que ganarán el partido?   NO CREER   _____

❷ No está en absoluto de acuerdo. Complete los bocadillos según el modelo.

1. El sábado nevará y podremos esquiar, seguro.

<u>Pues yo dudo que nieve</u> <u>y que podamos esquiar.</u>

2. Esta noche Andrés saldrá con Marta, seguro.

_____

3. Estas vacaciones, Lucía irá a Benidorm, seguro.

_____

4. El lunes, el jefe me dará un ascenso, seguro.

_____

5. Esta tarde habrá atascos en la autopista, seguro.

_____

6. Santiago y Julia vendrán en autobús, seguro.

_____

7. La fiesta en casa de Pepe será genial, seguro.

_____

8. Ernesto y Sofía se quieren mucho y se van a casar, seguro.

_____

9. Podré pagar las entradas con tarjeta, seguro.

_____

10. Aparcaré delante de casa, seguro.

_____

11. El jefe estará muy satisfecho con mi trabajo, seguro.

_____

12. José me llamará esta noche, seguro.

_____

❸ Complete las frases con las palabras sugeridas por las ilustraciones.

a.	b.	c.	d.	e.
				BLA BLA BLA

1. Si vas al súper, compra un __helado__ , pero que _____ (tener) trocitos de chocolate.

2. Por su cumpleaños, la niña quiere una _____ que _____ (hablar).

3. ¿Te apetece comer paella esta noche? —Sí, y que _____ (tener) muchos _____

4. Mi hermano busca un apartamento que _____ (estar) cerca de una _____

5. Tengo sed, dame un _____, pero que no _____ (estar) muy frío, porque
   me duele un poco la garganta.

❹ ¿Qué busca cada persona? Conjugue los verbos en subjuntivo y escriba los números en los recuadros correspondientes.

1. (ser) _____ simpático.

2. (tener) __tenga__ mucha luz. ✔

3. (obedecer) _____

4. (saber) _____ inglés.

5. (funcionar) _____ perfectamente.

6. (sacar) _____ fotos y vídeos.

7. (estar) _____ bien comunicado.

8. (ser) _____ muy juguetón.

9. (explicar) _____ bien las reglas gramaticales.

10. (jugar) _____ al tenis.

11. (tener) _____ amplios conocimientos
    de informática.

12. (servir) _____ comida casera y regional.

13. (incluir) _____ lector de DVD.

14. (gastar) _____ poca gasolina.

15. (haber) _____ vivido en España.

16. (tener) _____ navegador.

17. (tener) _____ muchas melodías.

18. (tener) _____ bañera de hidromasaje.

19. (tener) _____ plaza de garaje, trastero,
    ascensor, terraza y piscina.

20. (vivir) _____ en la misma ciudad
    que yo.

21. no (dar) _____ a la calle.

22. (estar) _____ conectado a Internet

23. no (cerrar) _____ pronto.

- Julia busca un piso que...
- Busco en el *chat* un amigo que...
- Queremos comprar un coche que...
- Necesitamos un profesor de español que...
- Busco para mi hijo de 10 años un perro que...
- Necesitamos una secretaria que...
- Quiero comprarme un móvil que...
- Pablo busca una habitación de hotel que...
- El director necesita un ordenador portátil que...
- Buscamos un restaurante que...

2		

¡Hola! ¿Qué pasa? ¿Por qué pones esa cara?

Nada, que me han dado otro golpe al coche. Mira cómo tengo la puerta.

¡Otro golpe! Es que chica... Siempre lo aparcas donde no debes. Si aparcaras mejor, no te darían tantos golpes.

Pasa, ya casi estoy lista.

Olga:	¿Te apetece un café?
Pilar:	Sí, por favor, con leche. Luego no puedo dormir, pero es que me gusta tanto el café.
Olga:	Si lo tomaras descafeinado, no te haría nada. Tengo, si quieres.
Pilar:	No, gracias, descafeinado no me gusta.
Olga:	¿Una pastita? Están riquísimas.
Pilar:	No, gracias. El jefe se ha enfadado otra vez conmigo.
Olga:	Es que, chica... Si llegaras a las nueve todos los días, no te diría nada. ¿Seguro que no quieres unas pastitas...? Yo voy a comerme una.
Pilar:	No, gracias. Estoy harta de vivir con mis padres; tengo ganas de alquilar un apartamento, pero con el sueldo que tengo, imposible. ¿Crees que si le pidiera un aumento al jefe, me lo daría?
Olga:	Si fueras un poco más puntual todo los días... tal vez. ¿No quieres una pastita?
Pilar:	No, gracias. Es que si la oficina no estuviera tan lejos de mi casa, no tendría que levantarme tan temprano por las mañanas y siempre hay atascos y...
Olga:	¡Las cinco y media! Venga, vamos.
Pilar:	Sí.
Olga:	Espera, cojo una pastita...

Venga, levanta la pierna!

¡¡No puedo!!

Claro, si no te comieras tantas pastitas...

FORMAS

• **Verbos regulares**

HABLAR		COMER		ESCRIBIR	
hablara	hablase	comiera	comiese	escribiera	escribiese
hablaras	hablases	comieras	comieses	escribieras	escribieses
hablara	hablase	comiera	comiese	escribiera	escribiese
habláramos	hablásemos	comiéramos	comiésemos	escribiéramos	escribiésemos
hablarais	hablaseis	comierais	comieseis	escribierais	escribieseis
hablaran	hablasen	comieran	comiesen	escribieran	escribiesen

La forma en -ra es más frecuente, especialmente en el lenguaje oral.

• **Verbos irregulares**

PEDIR*			DORMIR**		
pidiera	/	pidiese	durmiera	/	durmiese
pidieras	/	pidieses	durmieras	/	durmieses
pidiera	/	pidiese	durmiera	/	durmiese
pidiéramos	/	pidiésemos	durmiéramos	/	durmiésemos
pidierais	/	pidieseis	durmierais	/	durmieseis
pidieran	/	pidiesen	durmieran	/	durmiesen

* Verbos en e...ir: competir, corregir, despedir, elegir, impedir, medir, mentir, repetir, seguir, sentir, servir, sugerir, venir, vestir...

** morirse.

• **Otros verbos irregulares**

– Verbos en -**DUCIR**:
   CONDUCIR conduj-
– Verbos en -**UIR**:

INCLUIR	incluy-		
CAER	cay-		era / ese
DECIR	dij-	+	eras / eses
IR/SER	fu-		era / ese
LEER	ley-		éramos / ésemos
OÍR	oy-		erais / eseis
REÍR	ri-		eran / esen
TRAER	traj-		

- **ANDAR**	anduv-		
- **DAR**	d		iera / iese
- **ESTAR**	estuv-		iera / iese
- **HABER**	hub-		ieras / ieses
- **HACER**	hic-	+	iera / iese
- **PODER**	pud-		iéramos / iésemos
- **PONER**	pus-		ierais / ieseis
- **QUERER**	quis-		ieran / iesen
- **SABER**	sup-		
- **TENER**	tuv-		

USOS

• Expresar condiciones irreales

Si + imperfecto de indicativo	condicional

Si lo tomaras descafeinado, *no te haría nada.*
Si llegaras *a las nueve todos los días, no te diría nada.*
¿Crees que **si le pidiera** *un aumento al jefe, me lo daría?*
Si la oficina **no estuviera** *tan lejos de mi casa, no tendría que levantarme tan temprano.*
Si no te comieras *tantas pastitas...*

❶ Coloque las tiras en la sopa de letras y lea, horizontalmente, veinte formas regulares en -ra en imperfecto de subjuntivo. Indique los infinitivos.

C	E	R	R	A	R	A	I	S
C	A						A	S
E	N						I	S
F	I						O	S
O	F						R	A
A	C						I	S
B	A						I	S
D	O						I	S
F	R						I	S
B	A						O	S
P	E						A	N
C	E						O	S
A	B						I	S
C	U						A	S
G	U						O	S
V	O						A	S
C	O						A	N
D	E						I	S
L	L						I	S
D	I						R	A

J	Á	R	A	M
E	N	A	R	A
L	V	I	E	R
R	E	C	I	E
B	L	A	R	A
R	D	I	E	R
M	B	I	A	R
R	I	E	R	A
N	Á	R	A	M
R	R	A	R	A
I	L	A	R	A
E	G	A	R	A
J	Á	R	A	M
B	R	I	E	R
T	U	A	R	A
T	R	A	R	A
I	Á	R	A	M
R	R	I	E	R
V	I	D	I	E
B	I	E	R	A

<u>cerrar</u>
_____
_____
_____
_____
_____
_____
_____
_____
_____
_____
_____
_____
_____
_____
_____
_____
_____
_____
_____

❷ Escriba las formas en imperfecto de subjuntivo (en -ra).

CORREGIR : <u>corrigiera,</u> _____

MEDIR : _____

SEGUIR : _____

VENIR : _____

❸ Una con una flecha cada forma con su infinitivo.

decir   hacer   ✔caer   poder   andar   querer   conducir   saber   ser   tener

CAYERADIJERANHICIÉRAMOSANDUVIERAISPUDIERASFUÉRAMOSINCLUYERANFUERASTRAJERAISOYERAHUBIERASCONDUJÉRAMOSSUPIERACAYERANCTUVIERAESTUVIERASSUPIERANQUISIERAT...CONDUCIRRAMOSSUPIERA

poner   incluir   caer   estar   traer   haber   saber   ir   conducir   oír

4 Ponga los verbos en condicional y asocie las dos partes de cada frase. (Dos opciones cada vez.)

a. no (ir, tú) _____ irías _____ al trabajo en metro. ✔

b. (dar, yo) _____ fiestas en casa.

c. (chatear, yo) _____ un poco los fines de semana.

d. (terminar, tú) _____ antes la traducción.

e. (quedarme) _____ en la cama hasta las doce.

f. no (tener, tú) _____ que tomar el autobús. ✔

g. (mandar, yo) _____ e-mails a mis amigos.

h. (cambiarme) _____ de piso.

i. la ciudad (estar) _____ menos contaminada.

j. (trabajar, tú) _____ en una empresa australiana.

k. (salir, yo) _____ todos los sábados.

l. no (cometer, tú) _____ faltas de ortografía.

m. (comprar, yo) _____ un coche nuevo.

n. (irme) _____ a dar una vuelta por el centro con mis hijos.

o. (ver, tú) _____ películas americanas en versión original.

p. (haber) _____ menos atascos por las mañanas.

1. Si tuvieras coche,

2. Si tuviera muchos amigos,

3. Si tuvieras un diccionario,

4. Si mi ordenador estuviera conectado a Internet,

5. Si no tuviera que ir a trabajar hoy,

6. Si no hubiera tanto tráfico,

7. Si hablaras inglés perfectamente,

8. Si el jefe me subiera cl sueldo,

a	f

5 ¡¡Vamos a decir obviedades!! Relacione las dos partes de cada frase.

1. Si me tocara la lotería,

2. Si viviera en una casa,

3. Si saliera muy pronto de casa,

4. Si supiera cocinar,

5. Si hicieras más deporte,

6. Si no hubiera atascos en la autopista,

7. Si me ayudaras a hacer el ejercicio,

8. Si no comieras tantos caramelos,

9. Si tuviera móvil,

10. Si leyeras el periódico más a menudo,

a. prepararía una riquísima paella.

b. tendría mucho dinero.

c. no te dolerían los dientes.

d. estarías más en forma.

e. te enterarías de las noticias.

f. te mandaría SMS todos los días.

g. lo terminaría antes.

h. no llegaría tarde a la oficina.

i. llegaríamos muy pronto a Sevilla.

j. no viviría en este piso tan pequeño.

| 1/b | 2/ | 3/ | 4/ | 5/ | 6/ | 7/ | 8/ | 9/ | 10/ |

EL EXAMEN

Espero que no salga el tema 4.

Te llamé el lunes, pero tenías el móvil desconectado. Quería que me ayudaras a repasar todos los temas.

Te importa que entre ahora, es que estoy un poco nerviosa.

Estaba con Manuel. Me pidió que le acompañara al cine, para relajarnos.

No lo sé. Le he llamado esta mañana y le he dicho que nos espere aquí.

Te llamaré cuando termine, hasta luego.

Cuando salgas, espérame en la cafetería.

¿Dónde está Fermín?

Vale, hasta luego.

AULA M...

¿Quieres que te deje uno?

Ya reparten los exámenes. Ojalá salga el tema 8, el profe nos aconsejó que lo estudiáramos, dijo que era muy probable que hubiera tres o cuatro preguntas sobre este tema.

Hola... Casi llego tarde. Ayer me llamó Gonzalo para que le llevara unos apuntes. Total, estuvimos estudiando hasta la una y hoy me he dormido.

Me he dejado los bolis en casa...

¿Te molesta que ponga mi mochila ahí?

Pues a mí me gustaría que saliera el tema 4.

¡El tema 4, qué dices! No lo he estudiado.

Diez minutos más tarde...

Chico 1:   ¿Qué es? ¿Qué es?

Chica 1:   Espera... El tema 4, ¡genial!

Chico 1:   ¡El tema 4! No puede ser...

Profe: ¡Silencio!

PRESENTE DE SUBJUNTIVO   REPASO: VER UNIDADES 22 A 26

- **Presente de indicativo + que + presente de subjuntivo**
  Espero que no salga el tema 4.
  ¿Te importa que entre ahora?
  ¿Te molesta que ponga mi mochila ahí?
  ¿Quieres que te deje uno?

- **Futuro de indicativo + que + presente de subjuntivo**
  Te llamaré cuando termine.

- **Pretérito perfecto + que + presente de subjuntivo**
  Le he dicho que nos espere aquí.

- **Imperativo + que + presente de subjuntivo**
  Cuando salgas, espérame en la cafetería.

IMPERFECTO DE SUBJUNTIVO

El **imperfecto de subjuntivo** se usa en los mismos casos que el **presente de indicativo**, pero cuando el verbo de la oración principal va en:

– Pretérito imperfecto
  *Quiero que **me acompañes** a la universidad.*
  *Quería que **me acompañaras** a la universidad.*
– Pretérito indefinido
  *Te pido que **me esperes** delante del aula.*
  Te pedí que me esperaras delante del aula.
– Condicional
  *¿Te importa que **me quede**?*
  *¿Te importaría que **me quedara**?*

- **Pretérito imperfecto + que + imperfecto de subjuntivo**
  Era muy probable que hubiera tres o cuatro preguntas sobre los Reyes Católicos.

- **Pretérito indefinido + que + imperfecto de subjuntivo**
  Me pidió que le acompañara al cine.
  Ayer me llamó Gonzalo para que le llevara unos apuntes.

- **Condicional + que + imperfecto de subjuntivo**
  Pues a mí me gustaría que saliera el tema 4.

1 **Transforme las frases, según los modelos.**
Ponga los verbos en azul claro en imperfecto de subjuntivo.

Ejercicio a: 1. Quiero que me ayudes a terminar este trabajo.

Quería que **me ayudaras a terminar este trabajo.**

2. Prefiero que vayáis a Barcelona con Emilia.

Preferí que _____

3. Mi madre nos ha prohibido que digamos palabrotas.

Mi madre nos prohibió que _____

4. Quiero que enciendas la calefacción.

Quise que _____

5. Elena pide a Juan que no vuelva demasiado tarde.

Elena pidió a Juan que no _____

6. Carlos ha dicho a José que haga un poco de deporte.

Carlos dijo a José que _____

Ejercicio b: 1. Alfredo me aconseja que no pida pescado ni pollo en salsa.

Alfredo me aconsejó que **no pidiera pescado ni pollo en salsa.**

2. Te sugiero que termines los ejercicios de gramática primero.

Te sugerí que _____

3. Me recomiendas que llame a Pedro.

Me recomendaste que _____

4. El médico me aconseja que coma mucha verdura y beba mucha agua.

El médico me aconsejó que _____

5. Os aconsejo que vengáis en el avión de las once y cuarto.

Os aconsejé que _____

6. Les sugiero que vean la película de la sesión de las diez.

Les sugerí que _____

Ejercicio c: 1. Me da pena que no puedas venir con nosotros.

Me dio pena que **no pudieras venir con nosotros.**

2. Nos extraña que Mercedes no llame.

Nos extrañó que _____

3. Me pone de mal humor que Sara y Manuel lleguen tarde.

Me puso de mal humor que _____

4. Siento que Nuria se quede sola.

Sentí que _____

5. ¿Te molesta que cenemos tan pronto?

¿Te molestó que _____

6. Me alegro de que salgas con Miguel el lunes.

Me alegré de que _____

2 Ponga los verbos entre paréntesis en presente o imperfecto de subjuntivo.

1. Hola Chelo. No, no ha llamado Luis, espero que lo (hacer, él) _____haga_____ hoy.

2. ¿Quieres que (ir, yo) _____ a tu casa ahora? Prefiero que (venir) _____ tú luego.

3. Por cierto, ¿no te extrañó que Pepe y Laura no (volver) _____ a la oficina el lunes y no (decir) _____ nada?

4. Sí, sí... A mí también me dio mucha pena que (irse) _____ David.

5. Vale, adiós.

3 Lea el texto sobre Rafa. Luego, complete el bocadillo de María, según el modelo.

Rafa es bajo y tiene el pelo corto. No lleva barba y a mí me encantan los hombres con barba muy larga. Nunca se pone pantalones de pana y a mí me encantan. No hace nada de deporte y a mí me gustan los hombres que van al gimnasio todos los días. No sabe cocinar y a mí me encanta que un hombre me prepare riquísimas paellas. Nunca me lleva al cine y a mí me gustan las películas de amor.

Me gustaría que Rafa _____fuera_____ alto, _____ el pelo largo, _____ una barba muy larga, _____ pantalones de pana, _____ mucho deporte, _____ al gimnasio todos los días, _____ cocinar, me _____ riquísimas paellas y me _____ al cine a ver películas de amor. ¡Ay! Rafa... Rafa...

4 Conteste a cada pregunta según el modelo. Use un pronombre personal.

1. ¿Crees que Manuel leerá **el e-mail**?

   No, pero me gustaría que lo leyera.

2. ¿Crees que Emilio comprará **los regalos**?

   _____

3. ¿Crees que Lucas y David oirán **las noticias**?

   _____

4. ¿Crees que Patricia y su hermana verán **la película**?

   _____

5. ¿Crees que Sara dirá **la verdad**?

   _____

6. ¿Crees que Julio seguirá **tus consejos**?

   _____

Elvira:	¿Quién es?
Carolina:	Es Armando.
Elvira:	Otra vez, ¡pero qué pesado! ¿Y ahora qué quiere?
Carolina:	Hola, Armando.
Armando:	Hola. ¿Qué hay?
Carolina:	Pues aquí, en casa con mi hermana. ¿Y tú?
Armando:	Ya me he cambiando de piso. El viernes doy una pequeña fiesta para celebrarlo, ¿os apetece cenar en casa?
Carolina:	El viernes... No sé... Espera, se lo pregunto a Elvira. Dice que si nos apetece cenar en su casa el viernes.
Elvira:	¡Qué pesado! Que no, que no nos apetece...
Carolina:	No puedo decirle eso...
Elvira:	Bueno... Pues, ¿a qué hora?
Carolina:	Pregunta Elvira que a qué hora.
Armando:	Sobre las nueve o nueve y cuarto.
Elvira:	¿Y dónde vive ahora?
Armando:	¿Que con quién vivo?
Carolina:	No, pregunta que dónde vives ahora.
Armando:	Ah... En el paseo de las Acacias. ¿Os gusta la paella?
Elvira:	¿Y ahora qué quiere? ¡Qué pesado!
Carolina:	Pregunta si nos gusta la paella.
Elvira:	¡Qué pesado! No me apetece nada ir a su casa. Y no me gusta la paella. ¿Quién más va a ir a esa fiesta?
Carolina:	Pregunta Elvira que quién más va a ir a la fiesta.
Armando:	Unos amigos míos.
Carolina:	¿Quieres que llevemos algo? ¿Unas botellas de vino?
Armando:	No, gracias, no hace falta. Del vino se encarga Julián.
Carolina:	Oye, que Julián también va a ir a la fiesta.
Elvira:	¡Julián también va...! Pásame el móvil. ¡Armando, hola, soy Elvira. ¿Qué tal?
Carolina:	No seas pesada, devuélveme el móvil.
Elvira:	Oye... que gracias por invitarnos, nos hace mucha ilusión. ¿Qué tal tu nuevo piso? Tengo muchas ganas de verlo.
Carolina:	¡Qué pesada!
Elvira:	Me encanta la paella, dice Carolina que la preparas muy bien y...

DEFINICIÓN

El estilo indirecto se usa para reproducir lo que ha dicho o preguntado una persona.

PREGUNTAS SIN PARTÍCULA INTERROGATIVA

¿Os gusta la paella? → *Nos pregunta si nos gusta la paella.*

- **Preguntas con partícula interrogativa**
  ¿A qué hora? → *Pregunta (que) a qué hora.*
  ¿Quién más va a ir a esa fiesta? → *Pregunta (que) quién más va a ir a esa fiesta.*
  ¿Dónde vive ahora? → *Elvira pregunta (que) dónde vives ahora.*

> En el estilo indirecto, las **partículas interrogativas** también llevan **tilde**:
> *Pregunta **cuándo** volverás./Me pregunta **dónde** vivo./Le preguntamos con **quién** llega.*

- **Verbos introductorios**
  - El verbo más utilizado es: pregunto, pregunta (él, ella), preguntamos, preguntan (ellos, ellas).
  - También se usan:
    - quiero saber, quiere saber (él, ella), queremos saber, quieren saber (ellos, ellas).
    - me gustaría saber, le gustaría saber (a él/ella), nos gustaría saber, les gustaría saber (a ellos/ellas).

> Al transmitir preguntas con **partícula interrogativa**, si se usa **preguntar**, se puede utilizar que antes de la **partícula**:
> *¿A qué hora llega el avión?*→ *Elena pregunta a qué hora llega el avión.*
> *Elena pregunta* que *a qué hora llega el avión.*
>
> *¿Cuándo llamarás?* → *Arturo pregunta* que *cuándo llamarás.*
> *Arturo pregunta cuándo llamarás.*

- **Cambios**
  Al transmitir las preguntas, hay que realizar algunos cambios según quién sea la persona que las transmite o a la que se transmiten: en las formas verbales, los posesivos (adjetivos y pronombres) y los pronombres personales.

¿Te gusta mi jersey? →	A MÍ	Me pregunta si me gusta su jersey.
	A TI	Te pregunta si te gusta su jersey.
	A ÉL/ELLA	Le pregunta si le gusta su jersey.
¿Quieres cenar conmigo? →	A MÍ	Me pregunta si quiero cenar con él.
	A TI	Te pregunta si quieres cenar con él.
	A ÉL/ELLA	Le pregunta si quiere cenar con él.
¿Me has enviado tus libros? →	A MÍ	Me pregunta si le he enviado mis libros.
	A TI	Te pregunta si le has enviado tus libros.
	A ÉL/ELLA	Le pregunta si le ha enviado sus libros.
¿Se han ido a las tres? →	A NOSOTROS	Nos pregunta si nos hemos ido a las tres.
	A ÉL/ELLA/Uds.	Les pregunta si se han ido a las tres.
¿Prefieres el mío? →	A MÍ	Me pregunta si prefiero el suyo.
	A TI	Te pregunta si prefieres el suyo.
	A ÉL/ELLA	Le pregunta si prefiere el suyo.
¿El e-mail es para ti? →	A MÍ	Me pregunta si el e-mail es para mí.
	A TI	Te pregunta si el e-mail es para ti.
	A ÉL/ELLA	Le pregunta si el e-mail es para él/ella.

1 Silvia está escuchando los mensajes del contestador. Todos son para su hermano Alberto. Veinte minutos después... Alberto vuelve a casa: *Hola Silvia. ¿Tengo algún mensaje?* Complete las respuestas de Silvia.

Hola, soy Pepe. ¿Quieres ir al cine el domingo?

Soy Julio. El lunes iré al aeropuerto a recoger a David. ¿Sabes a qué hora llega el avión

Alberto, soy mamá. ¿Has comido la fabada que estaba en la nevera?

Soy mamá, ¿puedes recogerme en la peluquería esta tarde a las siete?

Soy María. Mañana voy a casa de José, ¿quieres ir?

Hijo, soy mamá otra vez. ¿Has ido a casa de Luis?

Hijo, ¿has llamado a la abuela?

Soy Marcos, ¿te llamó Encarna ayer?

Silvia: Han llamado Pepe, María, Julio, Marcos...

Alberto: ¿No ha llamado mamá?

Silvia: Sí, claro... Mamá también...

Alberto: ¿Y qué quieren?

Silvia: Espera... Pepe quiere saber si <u>**quieres ir al cine el domingo.**</u>

María, si _____

Julio, si _____

Y Marcos, si _____

Alberto: ¿Y mamá?

Silvia: Pues si _____, si _____,

si _____ y si _____

Llámala ahora, para que no se preocupe.

2 Transmita estas preguntas realizando los cambios necesarios, como en el modelo. Todas las preguntas van dirigidas a Lola.

1. ¿**Te** duele la cabeza?

2. ¿**Tu** hermano está en casa?

3. ¿Puedo ir al teatro **contigo**?

4. ¿**Te** has levantado temprano?

5. ¿Han vuelto ya **tus** padres?

6. ¿**Me** puedes mandar **tu** informe?

7. ¿Ayer **nos** esperaste?

8. ¿El domingo volverás con **nosotras**?

9. ¿El libro es para **mí**?

10. ¿**Te** llamo a las dos?

1. Me pregunta <u>si **me** duele la cabeza.</u>   Pregunta a Lola <u>si **le** duele la cabeza.</u>

2. Me pregunta _____   Pregunta a Lola _____

3. Me pregunta _____   Pregunta a Lola _____

4. Me pregunta _____   Pregunta a Lola _____

5. Me pregunta _____   Pregunta a Lola _____

6. Me pregunta _____   Pregunta a Lola _____

7. Me preguntan _____   Preguntan a Lola _____

8. Me preguntan _____   Preguntan a Lola _____

9. Me pregunta _____   Pregunta a Lola _____

10. Me pregunta _____   Pregunta a Lola _____

❸ ¿Qué le pregunta Javier a su amigo? Fíjese en las palabras en azul claro.

Hola Javier. Ayer conocí a una chica estupenda...

¿¿Sí?? ¿Dónde la conociste? ¿Con quién estabas? ¿Cómo se llama? ¿Cuántos años tiene? ¿Cómo es? ¿De dónde es? ¿Dónde vive? ¿Cuál es su dirección? ¿En qué trabaja? ¿Qué te dijo? ¿Qué hicisteis? ¿Adónde fuisteis? ¿Hasta qué hora estuviste con ella? ¿Cuándo la vas a volver a ver? ¿Cuándo me la presentas?

<u>Le pregunta (que) dónde la conoció,</u> _____

_____

_____

_____

❹ Escriba las preguntas correspondientes.

1. Marcos pregunta a su mujer a qué hora quiere cenar. <u>¿A qué hora quieres cenar?</u>

2. Paula pregunta a sus hermanos qué están haciendo. _____

3. Ramón pregunta a Mario si le gustó la película. _____

4. Marina pregunta a sus padres si se quedan a cenar. _____

5. José pregunta a su amiga Raquel cuándo le llamará. _____

6. Nieves pregunta a su marido adónde van a ir esta noche. _____

7. El niño pregunta a su profesor si le puede ayudar. _____

8. El maestro pregunta a los niños si han terminado el ejercicio. _____

9. Félix pregunta a un señor mayor cómo se llama su hermana. _____

10. El niño pregunta a su madre dónde está su mochila. _____

UN NUEVO NOVIO

Silvia:	Hola, soy Silvia. He roto con José.
Victoria:	¿Y eso?
Silvia:	Me gustaba mucho, pero era muy aburrido. Guapo, pero muy aburrido. El lunes fuimos a casa de unos amigos, y al volver se lo dije.
Victoria:	No te preocupes, encontrarás a otra persona.
Silvia:	¡Ya he conocido a otro! Se llama Manuel, y está separado. Bueno... no es tan guapo como José, pero es muy inteligente, mucho. Dirige el departamento de personal de una gran imprenta. Espera... ¡Es él! Bueno, luego te llamo. Chao.

Cinco minutos después...

Victoria:	Inés... Soy Victoria. ¿Sabes quién me acaba de llamar? ¡Silvia!
Inés:	¿Silvia? ¿Y qué te ha contado?
Victoria:	Pues que ha roto con José. Que le gustaba mucho pero que era muy aburrido. Que el lunes fueron a casa de unos amigos y que se lo dijo al volver. Yo le he dicho que no se preocupe, que encontrará a otro. ¿Y sabes qué me ha contestado?
Inés:	No sé... ¿Que ya está saliendo con otro?
Victoria:	Pues sí... Un tal Manuel, me ha dicho que está separado y que es director en una imprenta... Dirige el departamento de personal. Espera... Es ella... Luego te llamo.

El jueves por la noche.

Inés:	Consuelo, soy Inés. Ayer me llamó Victoria. No te lo vas a creer... Me contó que la había llamado Silvia y que le dijo que había roto con José. Espera, espera, ¡le dijo que José era superaburrido! Que se lo había dicho el lunes después de una fiesta. Victoria le dijo que no se preocupara, que encontraría pronto a otro chico, porque claro, pensaba que estaba fatal, deprimida... Bueno ya sabes. Pero no... Silvia le dijo que ya había conocido a otro chico, que no era nada guapo pero que era superinteligente.
Consuelo:	¿Y lo conoció en la fiesta del lunes?
Inés:	Sí, sí... Bueno, y no te lo vas creer... Le dijo que estaba casado y que se iba a separar para estar con ella... Y que le iba a dar trabajo en su empresa, en el departamento de personal... Espera, que me llaman por el móvil. Es Silvia. A ver qué me cuenta... Luego te llamo, adiós.

REPRODUCIR UNA INFORMACIÓN EN PRESENTE

Reproducir palabras que están en:
- Presente de indicativo → Presente de indicativo
  Está *separado.* → *Me ha dicho que* ***está*** *separado.*
- Pretérito perfecto → Pretérito perfecto
  He roto *con José.* → *Dice/Me ha contado que* ***ha roto*** *con José.*
- Pretérito imperfecto → Pretérito imperfecto
  Me gustaba *mucho pero* ***era*** *muy aburrido.*
  → *Dice/Me ha contado que* ***le gustaba*** *mucho pero que* ***era*** *muy aburrido.*
- Pretérito indefinido → Pretérito indefinido
  El lunes ***fuimos*** *a casa de unos amigos.*
  → *Dice/Me ha contado que el lunes* ***fueron*** *a casa de unos amigos.*
- Futuro → Futuro
  Encontrarás *a otro.* → *Le he dicho que* ***encontrará*** *a otro.*
- Imperativo → Presente de subjuntivo
  No ***te preocupes.*** → *Le he dicho que no* ***se preocupe.***

REPRODUCIR UNA INFORMACIÓN EN PASADO

Reproducir palabras que están en:
- Presente de indicativo → Imperfecto de indicativo
  Está *separado.* → *Me dijo que* ***estaba*** *separado.*
- Pretérito perfecto → Pluscuamperfecto de indicativo
  He roto *con José.* → *Le dijo que* ***había roto*** *con José.*
- Pretérito imperfecto → Pretérito imperfecto
  Me gustaba *mucho pero* ***era*** *muy aburrido.*
  → *Dijo que* ***le gustaba*** *mucho pero que* ***era*** *muy aburrido.*
- Pretérito indefinido → Pluscuamperfecto de indicativo
  El lunes ***fuimos*** *a casa de unos amigos.* → *Dijo que el lunes* ***habían ido*** *a casa de unos amigos.*
- Futuro → Condicional
  Encontrarás *a otro.* → *Le dijo que* ***encontraría*** *a otro.*
- Imperativo → Imperfecto de subjuntivo
  No ***te preocupes.*** → *Le dijo que no* ***se preocupara.***

VERBOS INTRODUCTORIOS

- Para transmitir una **información:** decir, comentar, explicar, afirmar, indicar, anunciar, declarar, contar...
- Para transmitir una **orden:** pedir, aconsejar, sugerir, mandar, exigir, prohibir, ordenar, proponer...

CAMBIOS

Ver página 119.

1 **Lea los bocadillos y conteste a las preguntas.**

> No puedo salir porque tengo mucho trabajo.
> Luis

> No he comido.
> Elena

> El año pasado íbamos al gimnasio todos los miércoles.
> Sara y Sofía

> Salgo del trabajo a las seis.
> Mario

> El martes estuve con José.
> Marta

> Este verano iré a casa de Marcos.
> Antonio

> He llegado tarde porque he perdido el autobús.
> Carlota

> El miércoles hablamos con el director.
> José y Matías

> El viernes llamaré a los clientes de Segovia.
> Cristina

> Cierra la ventana, por favor.
> Nacho

> El curso que viene, haré un máster de informática.
> Beatriz

> Haced el ejercicio 9.
> el profesor

1. ¿Qué te ha dicho Luis?   <u>Que no puede salir porque tiene mucho trabajo.</u>

2. ¿Qué te ha dicho Elena?   _____

3. ¿Qué te han explicado Sara y Sofía?   _____

4. ¿Qué te ha comentado Mario?   _____

5. ¿Qué te ha dicho Marta?   _____

6. ¿Qué te ha comentado Antonio?   _____

7. ¿Qué te ha contado Carlota?   _____

8. ¿Qué te han dicho José y Matías?   _____

9. ¿Qué te ha dicho Cristina?   _____

10. ¿Qué te ha pedido Nacho?   _____

11. ¿Qué te ha dicho Beatriz?   _____

12. ¿Qué os ha aconsejado el profesor?   _____

2 **¿Qué le ha dicho Lola?**   ME HA DICHO QUE...

1. **Me** duele la cabeza.   <u>le duele la cabeza.</u>

2. **Mi** primo **me** llamará el martes.   _____

3. Julio ha ido al cine **conmigo**.   _____

4. **Te** esperé hasta las ocho.   _____

5. **Me** quedaré **contigo** esta tarde.   _____

6. Ayer **te** vi por la calle.   _____

7. Enséña**me tus** fotos.   _____

8. A **mí**, **me** encanta salir con **mis** amigos.   _____

❸ **Ahora, vuelva a repetir las frases de la actividad 1 pero en pasado, según el modelo.**

1. <u>Me dijo que no</u> **podía** <u>salir porque</u> **tenía** <u>mucho trabajo.</u>
2. _____
3. _____
4. _____
5. _____
6. _____
7. _____
8. _____
9. _____
10. _____
11. _____
12. _____

❹ **Complete.**

1. Vuelve pronto.   Ha dicho a su hijo que <u>vuelva pronto.</u>
   Dijo a su hijo que <u>volviera pronto.</u>

2. Leed el capítulo 7.   El profesor les ha aconsejado que _____
   El profesor les aconsejó que _____

3. Dime la verdad.   Te he pedido que _____
   Te pedí que _____

4. ¡Ten cuidado!   Le ordena que _____
   Le ordenó que _____

5. Sal con Patricia mañana.   Le he aconsejado que _____
   Le aconsejé que _____

6. Siga por la calle del Sol.   Le sugieres que _____
   Le sugeriste que _____

7. ¡Acérquense!   Les he dicho que _____
   Les dije que _____

8. Sé prudente.   Me ha aconsejado que _____
   Me aconsejó que _____

9. Poneos el abrigo.   Les hemos dicho que _____
   Les dijimos que _____

10. Repite las palabras.   El profesor me ha pedido que _____
    El profesor me pidió que _____

11. Dale las llaves a Juan.   Le ha dicho que _____
    Le dijo que _____

12. Quédate conmigo.   Me ha pedido que _____
    Me pidió que _____

Solucionario

1.1 1e, 2i, 3a, 4b, 5g, 6h, 7c, 8f, 9d. **1.2** 1 es/d, 2 está/g, 3 está/a, 4 es/e, 5 están/c, 6 es/b, 7 es/f. **1.3** 1 es, 2 está, 3 estoy, 4 están, 5 está, 6 es, 7 es, 8 estoy, 9 es, 10 es, 11 es, 12 está, 13 estoy, 14 estás, 15 es, 16 es. **1.4** a está/2, b están/5, c es/6, d está/1, e está/7, f es/3, g es/4, h está/8. **1.5** 1 está/c, 2 está/j, 3 es/e, 4 está/a, 5 es/b, 6 Es/k, 7 estoy/f; 8 está/g, 9 está/d; 10 es/h, 11 está/i.

2.1 1 despacio, adrede, bien, mal. 2 nunca, ayer, pasado mañana, ya, tarde, ahora. 3 delante, abajo, lejos, enfrente, arriba, aquí. 4 demasiado, bastante, poco, apenas, algo, mucho. **2.2** *Posible respuesta* 1 sí, sin duda. 2 educadamente, prudentemente. 3 enormemente, excesivamente. 4 quizás, probablemente. 5 jamás, de ningún modo. **2.3** 1 claramente, 2 solamente, 3 fuertemente, 4 normalmente, 5 lentamente, 6 absolutamente, 7 gravemente, 8 seriamente, 9 rápidamente, 10 prudentemente, 11 egoístamente, 12 amablemente, 13 probablemente, 14 fácilmente, 15 perfectamente, 16 cortésmente. **2.4** 1 nunca, 2, rápidamente, 3 poco, 4 tarde, 5 cerca, 6 mal, 7 detrás, 8 frecuentemente, 9 egoístamente, 10 arriba. **2.5** 1 prudentemente, 2 difícilmente, 3 excesivamente, 4 frecuentemente, 5 cariñosamente, 6 claramente, 7 precisamente, 8 amablemente, 9 probablemente, 10 educadamente, 11 lentamente, 12 seguramente, 13 cómodamente, 14 seriamente, 15 atentamente, 16 generosamente. **2.6** 1 pasado mañana, 2 demasiado, 3 ahora mismo, 4 cerca, 5 anteayer, 6 temprano, 7 totalmente, 8 deprisa, 9 tarde, 10 en breve. **2.7** 1a, 2d, 3g, 4b, 5h, 6e, 7j, 8c, 9f, 10i.

3.1 1 clarísimo, 2 facilísimo, 3 simpatiquísimo, 4 anchísimo, 5 elegantísimo, 6 amabilísimo, 7 malísimo, 8 dificilísimo, 9 riquísimo, 10 feísimo, 11 amplísimo, 12 blanquísimo, 13 jovencísimo, 14 felicísimo, 15 timidísimo, 16 larguísimo. **3.2** 1 inteligentísimo, 2 cerquísima, 3 jovencísimo, 4 riquísima, 5 buenísimo, 6 grandísima, 7 larguísima, 8 carísimos, 9 delgadísima, 10 cansadísimo. **3.3** 1 altísima, 2 aburridísima, 3 malísimo, 4 divertidísima, 5 guapísima, 6 limpísima, 7 baratísimas, 8 rapidísimo. **3.4** a 1 interesante/e, 2 bonita/h, 3 simpática/a, 4 aburridas/g, 5 divertido/c, 6 rápidos/f, 7 rico/b, 8 fácil/d. **3.5** 1 México, 2 El Prado, 3 el Tajo, 4 El Hierro, 5 El Quijote, 6 el guepardo, 7 la ballena.

4.1 1 Es una indígena guatemalteca que recibió el Premio Nobel de la Paz en 1992. 2 Es una científica francesa que descubrió el radio. 3 Es un deportista español que ganó cinco veces el Tour de Francia. 4 Es un pintor español que pintó el *Guernica*. 5 Es un escritor español que nació en 1547. 6 Es un arquitecto español que construyó la Sagrada Familia de Barcelona. **4.2** 1 Los productos que vende esta tienda son de excelente calidad. 2 Las películas que rueda esta actriz tienen mucho éxito. 3 Los cuentos que escribe este escritor son muy divertidos. 4 El coche que hemos comprado es muy rápido. 5 Los platos que prepara José son riquísimos. 6 El chico que me presentaste el domingo es muy simpático. **4.3** 1 Tengo un compañero de trabajo que es muy servicial. 2 Te voy a dejar un CD que te va a gustar mucho. 3 Me he comprado un jersey azul que me queda muy bien. 4 Ayer vimos una película muy buena que cuenta la vida de Cristóbal Colón. 5 El sábado vamos a cenar a casa de un amigo que prepara unas fabadas buenísimas. 6 Mañana te devolveré los libros que me dejaste la semana pasada. **4.4** 1 La que/a, 2 La que/g, 3 El que/a, 4 Los que/f, 5 El que/c, 6 La que/h, 7 El que/h, 8 Los que/d, 9 Las que/i. **4.5** 1 ¿Cuál es la dirección de la tienda en la que compraste los zapatos. 2 ¿Cómo se llama la empresa canadiense para la que trabaja tu hermano? 3 ¿Quién es el chico rubio con el que fuiste al restaurante el martes? 4 ¿Cómo es la nueva compañera de trabajo de la que te habló Julia ayer? 5 ¿Dónde está la casa rural a la que vas todas las Navidades? 6 ¿Cuáles son los compañeros de trabajo contra los que jugaste un partido de fútbol el sábado?

5.1 1 ¡Qué cuadro tan bonito! 2 ¡Qué pantalones tan feos! 3 ¡Qué niña tan guapa! 4 ¡Qué libro tan aburrido! 5 ¡Qué chicas tan simpáticas! 6 ¡Qué zapatos tan originales! **5.2** 1f, 2c, 3g, 4a, 5i, 6b, 7e, 8d, 9h. **5.3** 1d, 2a, 3e, 4b, 5f, 6c, 7g. **5.4** 1c, 2g, 3b, 4h, 5e, 6a, 7f, 8d. **5.5** 1 Cuántos amigos, 2 Cuántas primas, 3 Cuántas galletas, 4 Cuánto ruido, 5 Cuántos países, 6 Cuánta gente. **5.6** 1 ¡Cómo come! 2 ¡Cómo me duele la rodilla! 3 ¡Cómo ha nevado hoy! 4 ¡Cómo me gusta esta canción! 5 ¡Cómo llueve! **5.7** 1 Qué, 2 Cuántos, 3 Cómo, 4 Qué, 5 Qué, 6 Cómo, 7 Cuántos, 8 Qué, 9 Qué, 10 Cuántas, 11 Qué.

6.1 1 o, 2 o, 3 e, 4 y, 5 u, 6 e, 7 y. **6.2** 1 los tomates ni los pepinos. 2 París ni Londres. 3 italiano ni alemán. 4 de aventuras ni de vaqueros. 5 a Lucía ni a Sonia. 6 en metro ni en autobús. 7 los zapatos ni las sandalias. **6.3** 1d, 2b, 3f, 4a, 5h, 6c, 7g, 8e, 9i. **6.4** 1 cuando, 2 cuando, 3 mientras, 4 cuando, 5 mientras, 6 cuando, 7 mientras, 8 mientras, 9 Cuando, 10 mientras. **6.5** 1 pide, 2 matricúlate, 3 enterate, 4 ve, 5 llámame, 6 descansa, 7 lleva, 8 ven, 9 compra. **6.6** 1 El ejercicio está mal, por consiguiente lo tienes que hacer de nuevo. 2 Hemos cancelado la reunión, por lo tanto no firmaremos los contratos. 3 El profesor no ha venido hoy, por consiguiente no nos devolverá los exámenes. 4 Llueve demasiado, por lo tanto vamos a anular el partido. 5 Juan no estudió lo suficiente, por consiguiente no aprobó el examen. 6 Había huelga de metro, por lo tanto llegué tarde al trabajo. **6.7** 1f/casa, 2i/reuniones, 3c/pan, 4g/autobuses, 5a/comer, 6j/trabajo, 7b/amigo, 8d/abrigo, 9h/tele, 10e/campo.

7.1 1e/cine, 2k/ejercicio, 3j/madre, 4d/Burgos, 5f/reunión, 6a/cenar, 7b/inglés, 8c/marzo, 9g/ajedrez, 10h/derecha. **7.2** 1 Este fin de semana me he acordado mucho de ti. 2 Estamos de vacaciones hasta el 20 de agosto. 3 La semana que viene Arturo se examina de italiano. 4 Hoy no tengo ganas de quedarme en casa. 5 El libro que he comprado consta de doce capítulos. 6 Antes de irme me despido de mis amigos. 7 Mi hermana Beatriz está embarazada de tres meses. 8 ¿Cuándo os vais de vacaciones a Argentina? 9 Me he olvidado de llamar a un amigo. **7.3** 1 por, 2 con, 3 en, 4 con, 5 por, 6 por, 7 con, 8 por, 9 por, 10 en. **7.4** bañarse en un río, un lago, la piscina/participar en una fiesta, una reunión, un taller/despedirse de una amiga, un familiar, un compañero/hablar de deporte, música, cine/pasear por la playa, el campo, el monte/comunicarse por e-mail, carta, teléfono/hablar con una amiga, un familiar, un compañero/llevarse bien con una amiga, un familiar, un compañero **7.5** 1 A/c, 2 En/h, 3 Por/g, 4 A/f, 5 En/a, 6 De/i, 7 A/b, 8 A/d, 9 Para/e. **7.6** 1 Me he enterado de la noticia. 2 Me he caído de la moto. 3 He estado de vacaciones en Japón. 4 He roto con Alfonso. 5 He ayudado a un amigo. 6 He ido a París en avión. 7 He pasado por tu casa esta mañana. 8 He empezado a estudiar alemán. 9 He cumplido con mis compromisos. 10 He dejado de fumar. 11 He estado en casa todo el fin de semana. 12 He mirado por la ventana. 13 He montado en bici con José.

8.1 1c, 2e, 3a, 4f, 5b, 6d. **8.2** 1 Estamos a punto de salir. 2 Esta tarde voy a ir a casa de Ricardo. 3 Acabas de cenar. 4 Ha vuelto a enviar el e-mail. 5 No puedo salir a las cinco. 6 He dejado de ir a este restaurante. 7 Debe de ser Pedro. 8 Hay que llamar al timbre. 9 Este año quiero estudiar informática. **8.3** 6, 9, 2, 7, 1, 11, 4, 10, 8, 5, 3. **8.4** 1c, 2e, 3f, 4a, 5d, 6g, 7b, 8h. **8.5** 1 está a punto de levantarse. 2 va a desayunar. 3 acaba de llegar al trabajo. 4 suele comer con sus compañeras. 5 puede salir pronto del trabajo. 6 quiere ir a clases de yoga. 7 Ha dejado de estudiar inglés. **8.6** 1 La película, la voy a ver mañana. 2 Los ejercicios, acabamos de terminarlos. 3 No me volverás a ver nunca. 4 No puedes quedarte aquí. 5 A mi madre, la suelo llamar los martes. 6 Tenéis que ayudarme a terminar el ejercicio. 7 Os voy a decir algo importante. 8 ¿Queréis iros ya? 9 Mañana se tiene que levantar temprano. 10 No volveremos a llamarte hasta el domingo. 11 ¿Nos puedes esperar hasta las seis?

9.1 1 trabajando, 2 pedir, 3 trayendo, 4 leer, 5 yendo, 6 volver, 7 escribiendo, 8 reír, 9 cayendo, 10 medir, 11 haciendo, 12 estudiar, 13 saliendo, 14 sonreír, 15 comiendo, 16 diciendo. **9.2** 1 Estoy viendo la tele. 2 Están escuchando música. 3 El profesor está corrigiendo los ejercicios. 4 Estás hablando por el móvil. 5 Estamos navegando por Internet. 6 El gato está durmiendo en el sillón. 7 Estáis bebiendo un refresco. 8 Estoy montando en bici. **9.3** 1 ladrando/¿El perro sigue ladrando? 2 llorando/¿El bebé sigue llorando? 3 lloviendo/¿Sigue lloviendo o hace sol? 4 jugando/¿Siguen jugando al baloncesto? 5 sale/¿Luis sigue saliendo con Elena? 6 trabaja/¿María sigue trabajando en esa empresa? **9.4** 1 Llevamos dos años viviendo en Bilbao. 2 Llevo tres meses trabajando en esta oficina. 3 Pedro lleva tres semanas estudiando inglés. 4 Elena lleva una hora hablando por el móvil. 5 Llevas diez minutos esperando el autobús. 6 ¿Lleváis mucho tiempo buscando piso? **9.5** 1 Llevo dos horas leyendo. 2 Llevo tres meses viviendo en mi nueva casa. 3 Llevo diecisiete días saliendo con Arturo. 4 Llevo cuarenta minutos viendo la película. 5 Llevo un año dando clases de español lengua extranjera. 6 Llevo dos semanas yendo al gimnasio. **9.6** 1 Estoy mirándote. 2 Seguimos mandándoles e-mails. 3 Llevas escuchándola una hora. 4 Están sacándonos una foto. 5 ¿Sigues queriéndome? 6 La estoy escribiendo. 7 Los estamos siguiendo. 8 Las llevamos haciendo una hora. 9 ¿Te sigues entrenando? 10 Se está poniendo un jersey. **9.7** 1 La estamos esperando./Estamos esperándola. 2 ¿La sigues escuchando?/¿Sigues escuchándola? 3 Los llevamos esperando media hora./Llevamos esperándolos media hora. 4 La lleva haciendo una hora./Lleva haciéndola una hora. 5 Lo sigue corrigiendo./Sigue corrigiéndolo. 6 Las está ayudando con los deberes./Está ayudándolas con los deberes.

10.1 1 La ventana está cerrada. 2 La cámara está rota. 3 La cena está hecha. 4 La fotocopiadora está arreglada. 5 El ladrón está detenido. 6 La farmacia está abierta. 7 La planta está muerta. **10.2** 1e, 2c, 3g, 4a, 5f, 6b, 7d. **10.3** 1 llevan parados cuatro, 2 llevan casados tres, 3 llevan enfadados dieciocho, 4 lleva averiado dos, 5 lleva cerrada dos, 6 lleva terminada tres. **10.4** 1 sigue dormido, 2 sigue aparcado, 3 sigue sucia, 4 siguen casados, 5 sigue roto, 6 sigue fría, 7 siguen cerradas, 8 sigue encendida, 9 sigue despierto, 10 sigue levantada. **10.5** 1 puesta, 2 encendidas, 3 abierta, 4 castigado, 5 prohibido, 6 tendida, 7 sentado, 8 asado, 9 reunido, 10 ingresado, 11 vacía, 12 arreglado.

11.1 1 Hace bueno. 2 Está nevando. 3 Hace sol. 4 Hace mucho frío. 5 Hace calor. 6 Está granizando. 7 Hace viento. 8 Está lloviendo. **11.2** 1 He hablado con Juan hace cuatro horas. 2 Vimos a Ernesto hace tres días. 3 Cenaste con Raquel hace dos meses. 4 Me ha llamado Pepe hace quince minutos./Me ha llamado Pepe hace un cuarto de hora. 5 Salimos con Nieves hace dos semanas./Salimos con Nieves hace catorce días. 6 Encontré trabajo hace un año. **11.3** Sobre la mesa de trabajo hay un ordenador. A la derecha del ordenador hay tres libros y cuatro bolígrafos. Delante del ordenador hay unas tijeras, una goma, y dos cuadernos. Sobre los cuadernos hay un móvil. En el suelo, junto a la mesa de trabajo hay una papelera y un maletín de piel. En el estante hay tres archivadores, un reloj y dos fotos. **11.4** 1g/comprar, 2f/comer, 3e/abrocharse, 4c/dar, 5d/hablar, 6a/dormir, 7b/pararse, 8h/tener. **11.5** 1 pronto, 2 primavera, 3 tarde, 4 temprano, 5 Navidad, 6 lunes,

7 jueves. **11.6** 1 se está muy bien, 2 se tarda poco, 3 Se vive muy bien, 4 no se puede fumar, 5 se llega antes a la playa, 6 se celebra, 7 no se permite entrar, 8 se ve la Plaza Mayor.

12.1 1 b, c, d, f, j, m, p. 2 a, e, g, h, i, k, l, n, o, q. **12.2** a 2/Ha pasado, ha decidido, b 4/Ha invitado, han hablado, c 8/Ha medido, ha comido, d 1/Ha aparcado, e 7/Ha llegado, ha puesto, f 3/se ha encontrado, g 6/Ha vuelto, h 5/Ha entrado, ha comprado. **12.3** 1 comimos/d, 2 fui/a, 3 veraneó/h, 4 me acosté/e, 5 se quedaron/l, 6 visité/g, 7 nació/f, 8 no examinamos/c, 9 disteis/b. **12.4** 1 ya, 2 el domingo, 3 tres veces, 4 El fin de semana pasado, 5 Esta mañana, 6 En agosto, 7 el mes pasado, 8 Esta noche, 9 Hoy, 10 este verano, 11 todavía, 12 nunca. **12.5** 1 El lunes hablamos con el director. 2 Pedro me envió un e-mail ayer por la tarde. 3 El jueves tuvimos una reunión muy importante. 4 ¿Qué te ha dicho Verónica esta mañana? 5 Hoy he salido pronto del trabajo. 6 Compramos la casa en marzo. 7 La película de esta noche no me ha gustado nada. 8 El sábado me levanté a las diez y cuarto. 9 El otro día fui de compras con Lucía. 10 El año pasado Lucas trabajó en una farmacia. 11 Esta tarde he tomado un café con Victoria. 12 ¿Qué pasó anoche? 13 El domingo perdí las llaves de casa.

13. 1.a 1 íbamos, 2 eran, 3 veías, 4 hablaba, 5 era, 6 comía, 7 iban, 8 tenías, 9 veíamos, 10 leía, 11 estaba, 12 salías, 13 volvían, 14 contabas, 15 corrían, 16 bajaba, 17 usabais, 18 traía, 19 cenabas, 20 creíamos, 21 reíais, 22 viajabas, 23 imaginaban, 24 venía, 25 mentías, 26 torcíamos, 27 miraba, 28 llegaba, 29 soñabas, 30 uníais. **13.1.b** 1 íbamos, 2 llegaba, 3 cenabas, 4 Veías, 5 leía, 6 iban. **13.2** 1 Iba en autobús. 2 Vivíamos en el campo. 3 Tenías un gato. 4 Trabajábamos en un banco. 5 Hacía poco deporte. 6 Volvías del trabajo a las ocho. 7 Dirigía una aseguradora. 8 Empezabas a trabajar a las ocho. 9 Solían ir al parque los domingos. 10 Estudiabais alemán. **13.3** Vivía en un piso, cerca del mar. Era largo y tenía el pelo largo y ondulado. Llevaba gafas. Le gustaba leer. Leía mucho. Vestía informal. Le gustaban los animales y tenía un perro. Conducía una moto. No estaba casado y no tenía hijos. Montaba en bici. Jugaba al fútbol.

14.1 1 a/b/f/i/k, 2 a/f, 3 a/d/f/i/j, 4 c/e/g/h. **14.2a** 1 era, 2 conocía, 3, tenía, 4 había, 5 dolía, 6 estaba, 7 gustaba, 8 me aburría. **b** 1 Como era demasiado tarde, no llamé a Marina. 2 Como no conocía a nadie, no fui a la fiesta de Manuel. 3 Como tenía que ir a casa de mis padres, no salí con Ernesto. 4 Como había un atasco tremendo, llegué tarde. 5 Como me dolía mucho el estómago, no fui a trabajar. 6 Como mi ordenador estaba estropeado, no te mandé el e-mail. 7 Como no me gustaba la película, no fui con Paulina al cine. 8 Como me aburría, me marché a las ocho. **14.3a** 1 hacía/b/nos quedamos, 2 había/g/pudimos, 3 llovía/a/cancelamos, 4 tenía/k/alquilé, 5 tenía/j/me quedé, 6 quedaban/c/nos fuimos, 7quedaba/d/salimos, 8 era/e/me levanté, 9 había/f/llegué, 10 tenía/i/quedé, 11 gustaba/i/pedí, 12 estaba/h/pude. **b** 1 Nos quedamos en casa porque hacía mucho frío. 2 No pudimos esquiar porque había poca nieve. 3 Cancelamos el partido porque llovía mucho. 4 Alquilé una película porque no tenía ganas de salir. 5 Me quedé en la oficina hasta tarde porque tenía muchísimas cosas que hacer. 6 Nos fuimos al teatro porque no quedaban entradas en el cine. 7 Salimos a tomar tapas porque no quedaba nada en la nevera. 8 Me levanté muy tarde porque era domingo. 9 Llegué pronto a casa porque había poco tráfico. 10 Quedé con un amigo para tomar algo por el centro porque no tenía nada que hacer. 11 Pedí pescado porque no me gustaba la carne. 12 No pude hacer la compra porque el mercado estaba cerrado.

15.1a 1 Cuando se fueron, ya habían cenado. 2 Cuando volví a casa, mi madre ya había preparado la cena. 3 Cuando pusiste la tele, el documental ya había empezado. 4 Cuando la secretaria mandó el informe por e-mail, el director ya se había ido. 5 Cuando llegó el taxi, José todavía no había hecho la maleta. 6 Cuando llegamos al teatro, la función ya había empezado. **b** 1 b/f, 2 e/g, 3 d/j, 4 c/i, 5 a/h. **15.2** 1b, 2d, 3a, 4f, 5c, 6e. **15.3** 1c/Estaba cansado, 2 f/Estaba contento, 3h/Estaba hambriento, 4 d/Estaba aburrida, 5 e/Estaba preocupada, 6 b/Estaba furioso, 7g/Estaba enferma, 8 a/Estaba triste **15.4** 1 estaba/había roto, 2 me levanté/había preparado, 3 estaba/había perdido, 4 pudo/se había dejado, 5 tenía/estaba/había dormido, 6 organizó/le había subido.

16.1 no entremos, no fije, no bajes, no cubran, no escriba, no firmes, no grite, no llenes, no comáis, no corra, no usen, no giréis. **16.2** 1 No realicen, 2 No pagues, 3 No expliques, 4 No apaguen, 5 No paguen, 6 No obliguéis, 7 No vacíen, 8 No aparques, 9 No lleguemos, 10 No actúe, 11 No amplíes, 12 No sitúen, 13 No avancen, 14 No toquéis, 15 No escojas, 16 No utilice, 17 No ronquéis, 18 No crucemos, 19 No envíen, 20 No busques. **16.3** 1 No comas, 2 No bebas, 3 No cruces, 4 No llegues, 5 No abras, 6 no llores, 7 no prepares, 8 No trabajes. **16.4** 1 no grite, 2 no deje, 3 no fume, 4 no escriba, 5 no toque, 6 no coma. **16.5** 1 No, no apaguéis la luz. 2 No, no leáis la revista. 3 No, no compréis chicles. 4 No, no corráis en el patio. 5 No, no saquéis fotos. 6 No, no llaméis a David. 7 No, no comáis chocolate. 8 No, no escribáis sobre la mesa.

17.1 1 no vuelvas, 2 no cierre, 3 no juguéis, 4 no sueñen, 5 no acostéis, 6 no consueles, 7 no contéis, 8 no tiemblen, 9 no muevas, 10 no muestre, 11 no te sientes, 12 no contéis, 13 no despierte, 14 no merendéis, 15 no pensemos, 16 no devolváis, 17 no caliente, 18 no cuenten, 19 no envuelvas, 20 no mueva, 21 no vuelvan, 22 no juegues,

23 no piensen, 24 no cerremos. **17.2** COMENZAR: no comiences/no comience/no comencemos/no comencéis/no comiencen. FREGAR: no friegues/no friegue/no freguemos/no freguéis/no frieguen. TORCER: no tuerzas/no tuerza/no torzamos/no torzáis/no tuerzan. **17.3** TÚ: no pidas/no mientas/no conviertas/no impidas/no repitas/no sirvas/no despidas/no te rías/no duermas/no sugieras. USTED: no pida/no mienta/no elija/no siga/no convierta/no impida/no repita/no despida/no duerma. VOSOTROS: no pidáis/no mintáis/no sigáis/no impidáis/no repitáis/no durmáis/no despidáis. USTEDES: no elijan/no sirvan/no corrijan, no sugieran. **17.4** decir/tú, oír/usted, tener/ustedes, caerse/ustedes, ver/usted, salir/tú, venir/tú, conducir/vosotros, incluir/usted, ir/ustedes, traer/ustedes, hacer/vosotros, traducir/tú, dar/usted, poner/vosotros. **17.5** 1 conduzca/e, 2 juguéis/c, 3 seas/a, 4 traduzcáis/d, 5 enciendan/b. **17.6** 1 no salgas, 2 no veas, 3 no hagas, 4 no vuelvas, 5 no digas, 6 no pongas, 7 no cierres, 8 no vayas, 9 no sirvas, 10 no pidas. **17.7** 1 tengas, 2 traigáis, 3 vayas, 4 pidan, 5 hagáis, 6 friegues, 7 vuelvas.

18.1 SENTARSE: no te sientes/no se siente/no nos sentemos/no os sentéis/no se sienten. MOVERSE: no te muevas/no se mueva/no nos movamos/no os mováis/no se muevan. VESTIRSE: no te vistas/no se vista/no nos vistamos/no os vistáis/no se vistan. IRSE: no te vayas/no se vaya/no nos vayamos/no os vayáis/no se vayan. **18.2** 1 no te acuestes, 2 no os levantéis, 3 no se vayan, 4 no se mueva, 5 no os riáis, 6 no te pongas, 7 no se dé, 8 no os toméis, 9 no te matricules. **18.3** 1 no los pongas, 2 no las apagues, 3 no le llames/no lo llames, 4 no me esperes, 5 no nos llaméis, 6 no los envíes, 7 no los corrijáis, 8 no lo esperes, 9 no las compréis, 10 no la enciendas. **18.4** 1 no la vea, 2 no los compre, 3 no lo lea, 4 no las escuche, 5 no lo caliente, 6 no la pruebe, 7 no los abra, 8 no lo despierte, 9 no las riegue. **18.5a** 1f/te la, 2 a/os los, 3 c/te las, 4 b/te lo, 5 h/os lo, 6 e/os lo; 7 d/os las, 8 g/te las. **b** 1 No, no se la ponga. 2 No, no se los quiten. 3 No, no se lave. 4 No, no se lo tome. 5 No, no se lo coman. 6 No, no se lo abrochen. 7 No, no se las compren. 8 No, no se lo pruebe. **18.6** 1 No, no se la cuentes. 2 No, no se lo leas. 3 No, no se los pongas. 4 No, no se las des. 5 No, no se lo quites. 6 No, no se las traigas. 7 No, no se la pidas. 8 No, no se los escribas.

19.1 iremos, volverás, pedirán, darás, escogeré, confiará, cerrarán, te vestirás, seguirá, dormirán, conducirá/pagaré, irás/serás, construirán, dará, caerá, oirán, traeremos, producirá, veré, preferirá, estarás/verás, hablaréis, saldrá, romperé, escribirán, tendréis, abriremos, leeré, llegarás, volveremos, comerán/serán, viajará, esperará, describiremos, dejarán, iremos, comprenderá, dirigiréis, empezarás, me aburriré, verán. **19.2** 1 veré, 2 hablaremos, 3 comprará, 4 corregirá, 5 irán, 6 leerá, 7 enviaré, 8 calentaré, 9 volverá, 10 servirá, 11 terminaré, 12 comeremos, 13 llegará. **19.3** 1 volveré/veré 2 tomaremos, 3 cenaré, 4 veranearéis, 5 bajarán/lloverá, 6 volveremos, 7 escuchará, 8 dará, 9 llegarás/perderás, 10, compraré. **19.4** 1d/iremos, 2 a/me compraré, 3 e/ayudaré, 4 b/acompañaremos, 5 f/pediré, 6 c/estarás, 7 g/jugaremos. **19.5** 1 aprobarás, 2 ganaréis, 3 encontrarás, 4 llamará, 5 leerá, 6 devolverá.

20.1 1 querréis, 2 diremos, 3 saldrán, 4 dirás, 5 tendré, 6 podrán, 7 hará, 8 pondréis, 9 saldremos, 10 diréis, 11 querrás, 12 vendrás, 13 sabremos, 14 haré, 15 tendremos, 16 vendrán, 17 saldrás, 18 pondré, 19 sabrán. **20.2** 1d, 2b, 3f, 4g, 5h, 6e, 7a, 8c. **20.3** 1 No le gustará la película. 2 Tendrá la gripe, 3 Dormirá muy poco por la noche. 4 Estará a dieta 5 Estarán en el cajón de la mesilla. 6 Estará en un atasco. 7 No oirá el timbre. 8 Le dará miedo volar. **20.4** 1 costará, 2 llamará, 3 tendrá, 4 vendrá, 5 será, 6 se irá, 7 estará, 8 hará, 9 Habrá.

21.1 dirías, seguirían, repetiría, entenderíamos, tocarías, venderíamos, vería, saludarías, tendría, sabríais, hablarían, habría, vendría, comeríamos, olvidarías, protegería, saldrían, perderíamos, pediríais, traduciría, mentirías, llegaríamos, cambiaría, llenarías, volvería, exigiríamos, explicaría, encenderían, escribiría, pondrías, querrían, llevarías, compraría, haríamos, podría, empezaría, probaría, correríamos, construirían, bebería, caminaríais. **21.2** 1 Le gustaría tener un perro. 2 Le gustaría comprar una moto. 3 Le gustaría estar en la playa. 4 Le gustaría jugar con los videojuegos. 5 Le gustaría visitar el Museo del Prado. 6 Le gustaría comer una hamburguesa. 7 Le gustaría dormir la siesta. 8 Le gustaría casarse con Sara. **21.3** 1 f/avanzar, 2 a/bajar, 3 e/mover, 4 d/traer, 5 c/llamarse, 6 b/decirme. **21.4** 1 iría, 2 regalaría/compraría/mandaría, 3 pondría, 4 pediría, 5 haría, 6 llevaría, 7 quedaría.

22.1

A	C	O	M	A	N	M	P	O	S	E	A	P	Ñ
A	G	R	T	Y	H	H	A	B	L	E	N	G	I
B	S	F	I	R	M	E	M	O	S	I	R	S	N
R	P	E	R	M	I	T	A	N	A	M	R	O	V
A	E	E	V	R	O	M	P	A	S	P	S	R	I
S	N	N	E	A	Ñ	A	D	A	I	R	C	P	T
A	O	T	N	Z	A	I	G	Ñ	S	S	I	X	E
W	T	R	D	C	R	L	I	M	T	M	W	E	Z
V	E	E	A	R	E	G	E	T	I	A	P	S	A
I	S	I	N	R	E	G	E	T	I	S	P	A	N
V	E	E	S	C	R	I	B	A	I	S	P	A	N
A	T	Ñ	Q	A	L	M	S	D	U	D	O	É	E
O	U	I	P	N	D	U	E	N	U	I	U	S	S
S	U	B	A	M	O	S	C	V	A	N	S	Y	E

22.2 1 gobierne, 2 mostréis, 3 se acuerden, 4 volvamos, 5 cierren, 6 recomienden, 7 merendéis, 8 comprueben, 9 aprobemos, 10 encuentres, 11 resolváis, 12 nos acostemos, 13 calientes, 14 llueva, 15 nieve, 16 pensemos, 17 recuerde; 18 sueñes, 19 despertemos, 20 os sentéis.
22.3 CRUZAR: cruce/cruces/cruce/crucemos/crucéis/crucen. APAGAR: apague/apagues/apague/apaguemos/apaguéis/apaguen. EMPEZAR: empiece/empieces/empiece/empecemos/empecéis/empiecen. SITUAR: sitúe/sitúes/sitúe/situemos/situéis/sitúen. NEGAR: niegue/niegues/niegue/neguemos/neguéis/nieguen. PROTEGER: proteja/protejas/proteja/protejamos/protejáis/protejan. TORCER tuerza/tuerzas/tuerza/torzamos/torzáis/tuerzan. EXPLICAR: explique/expliques/explique/expliquemos/expliquéis/expliquen. EXIGIR: exija/exijas/exija/exijamos/exijáis/exijan. **22.4** 1c, 2d, 3a, 4e, 5f, 6b. **22.5** 1a/llegues, 2c/lleves, 3f/hables, 4b/visites, 5e/te alojes, 6d/comas.

23.1 duerma, sirvan, pidáis, repita, despidamos, mida, durmamos, pidan, mienta, mientas, sirva, corrija, siga, elija, mueran, consigáis./dormir, servir, pedir, repetir, despedir, medir, dormir, pedir, mentir, mentir, servir, corregir, seguir, elegir, morir, conseguir. **23.2** caigáis, conduzcas, conozcan, dé, digáis, distribuya, estemos, nazca, haga, incluyamos, vayan, ofrezca, oigas, pongan, produzcáis, disminuya, reduzcan, sepa, salgamos, sea, tenga, traduzcas, traigan, valga, vengas, veamos. **23.3** 1 Te doy este diccionario para que hagas la traducción. 2 Os cuento toda la historia para que sepáis la verdad. 3 Les damos una habitación que da al patio del hotel para que estén más tranquilos. 4 Mañana vienen unos amigos a cenar. Te invito también para que los conozcas. 5 El camarero nos trae la carta para que elijamos los postres ahora. 6 Hablo más alto para que me oigáis todos. **23.4** 1e/sirva, 2d/salga, 3b/dé, 4f/vea, 5a/siga, 6c/ponga.

24 1 hagas, sepamos, salgan, venga, puedan, tenga, digáis, pongamos, quiera./volváis, veas, hagamos, abran, cubras, diga, oigamos, ponga, escriba/pongas, vean, oigas, traigas, veas/vayas, vengáis, des, salgáis, hagáis./estés, entienda, paguen, friegues, realices, lean, elija, almuerces, comience. **24.2** 3/deje, 4/puedas, 2/vuelva, 6/llegue, 1/termine, 5/esté. **24.3** 1 En cuanto llegue a casa te llamo. Tan pronto como llegue a casa te llamo. 2 En cuanto vea a Luis, le daré el libro. Tan pronto como vea a Luis, le daré el libro. 3 En cuanto se vayan los clientes, leeré el informe. Tan pronto como se vayan los clientes, leeré el informe. 4 Esta noche, en cuanto cene, me acuesto. Esta noche, tan pronto como cene, me acuesto. 5 En cuanto sepa los resultados, te llamo. Tan pronto como sepa los resultados, te llamo. 6 En cuanto se duerma el niño, nos vamos. Tan pronto como se duerma el niño, nos vamos. 7 En cuanto elija el menú, llamo al camarero. Tan pronto como elija el menú, llamo al camarero. 8 En cuanto me ponga el abrigo, salimos. Tan pronto como me ponga el abrigo, salimos. **24.4** 1 Termina el informe, antes de que venga el director comercial. 2 Tenemos que salir, antes de que se ponga a llover. 3 Ve a comprar el pan, antes de que cierre la panadería. 4 Tómate el café, antes de que se enfríe. 5 Cómete el postre, antes de que empiece la película. 6 Pon la calefacción, antes de que me muera de frío. 7 Compra los billetes, antes de que llegue el autobús. 8 Termínate los entremeses, antes de que sirva la carne. 9 Tengo que recoger el salón, antes de que lleguen mis padres. 10 Tenemos que irnos, antes de que anochezca.

25.1 1f, 2a, 3d, 4e, 5b, 6c, 7g. **25.2** 1 Es una lástima que Felipe se vaya de la empresa. 2 Es una pena que David tenga pocos amigos. 3 Es una vergüenza que la fruta esté carísima. 4 Es una tontería que no se queden a cenar. 5 Es una lástima que no vengáis a casa. 6 Es una pena que Lola no sepa usar Internet. **25.3** 1 llames/a, 2 guste/l 3 estés/h, 4 llame/d, 5 corras/j, 6 digáis/b, 7 me siente/i, 8 regales/c, 9 fumes/m, 10 haya/e, 11 te vayas/k, 12 llegue/f, 13 esté/g.

26.1 1 No, no creo que nieve. 2 No, no creo que llueva. 3 No, dudo que haya mucha gente. 4 No, no pienso que lleguen antes de las dos. 5 No, no creo que haga frío el sábado. 6 No, dudo que vuelva mañana. 7 No, dudo que sepa venir. 8 No, no pienso que llegue hoy. 9 No, dudo que apruebe el examen. 10 No, no creo que ganen el partido. **26.2** 1 Pues yo dudo que nieve y que podamos esquiar. 2 Pues yo dudo que Andrés salga con Marta. 3 Pues yo dudo que vaya a Benidorm. 4 Pues yo dudo que el jefe te dé un ascenso. 5 Pues yo dudo que haya atascos. 6 Pues yo dudo que vengan en autobús. 7 Pues yo dudo que sea genial. 8 Pues yo dudo que se quieran y que se vayan a casar. 9 Pues yo dudo que puedas pagar las entradas con tarjeta. 10 Pues yo dudo que aparques delante de casa. 11 Pues yo dudo que el jefe esté muy satisfecho con tu trabajo. 12 Pues yo dudo que te llame esta noche. **26.3** 1 c/helado/tenga, 2 e/muñeca/hable, 3 a/tenga/mejillones, 4 d/esté/parada de autobús, 5 b/zumo de naranja/esté. **26.4** 2 tenga, 7 esté, 19 tenga/1 sea, 10 juegue, 20 viva/5 funcione, 14 gaste, 16 tenga/9 explique, 15 haya/3 obedezca, 8 sea/4 sepa, 11 tenga/6 saque, 17 tenga/18 tenga, 21 dé/13 incluya, 22 esté/12 sirva, 23 cierre.

27.1 cerrarais/cerrar, cambiaras/cambiar, entrarais/entrar, fijáramos/fijar, ofreciera/ofrecer, actuarais/actuar, bailarais/bailar, doblarais/doblar, fregarais/fregar, bajáramos/bajar, perdieran/perder, cenáramos/cenar, abrierais/abrir, cubrieras/cubrir, guiáramos/guiar, volvieras/volver, corrieran/correr, debierais/deber, llenarais/llenar, dividiera/dividir. **27.2** CORREGIR: corrigiera/corrigieras/corrigiera/corrigiéra-

mos/corrigierais/corrigieran MEDIR: midiera/midieras/midiera/midiéramos/midierais/midieran SEGUIR: siguiera/siguieras/siguiera/siguiéramos/siguierais/siguieran VENIR: viniera/vinieras/viniera/viniéramos/vinierais/vinieran. **27.3** cayera/caer, dijeran/decir, hiciéramos/hacer, anduvierais/andar, pudieras/poder, fuéramos/ser, condujeran/conducir, quisiera/querer, tuvieras/tener, supiera/saber, estuvieran/estar, cayeras/caer, pusiéramos/poner, incluyeran/incluir, fueras/ir, trajerais/traer, oyera/oír, hubieras/haber, condujéramos/conducir, supiera/saber. **27.4** 1 irías/a, tendrías/f 2 daría/b, saldría/k 3 terminarías/d, cometerías/l 4 chatearía/c, mandaría/g 5 me quedaría/e, me iría/n 6 estaría/i, habría/p 7 trabajarías/j, verías/o 8 me cambiaría/h, compraría/m. **27.5** 1b, 2j, 3h, 4a, 5d, 6i, 7g, 8c, 9f, 10e.

28.1a 1 Quería que me ayudaras a terminar este trabajo. 2 Preferí que fueras a Barcelona con Emilia. 3 Mi madre nos prohibió que dijéramos palabrotas. 4 Quise que encendieras la calefacción. 5 Elena pidió a Juan que no volviera demasiado tarde. 6 Carlos dijo a José que hiciera un poco de deporte. **b** 1 Alfredo me aconsejó que no pidiera pescado ni pollo en salsa. 2 Te sugerí que terminaras los ejercicios de gramática primero. 3 Me recomendaste que llamara a Pedro. 4 El médico me aconsejó que comiera mucha verdura y bebiera mucha agua. 5 Os aconsejé que vinierais en el avión de las once y cuarto. 6 Les sugerí que vieran la película de la sesión de las diez. **c** 1 Me dio pena que no pudieras venir con nosotros. 2 Nos extrañó que Mercedes no llamara. 3 Me puso de mal humor que Sara y Manuel llegaran tarde. 4 Sentí que Nuria se quedara sola. 5 ¿Te molestó que cenáramos tan pronto? 6 Me alegré de que salieras con Miguel el lunes. **28.2** 1 haga, 2 vaya, vengas, 3 volvieran, dijeran, 4 se fuera. **28.3** fuera, tuviera, llevara, se pusiera, hiciera, fuera, supiera, preparara, llevara. **28.4** 1 No, pero me gustaría que lo leyera. 2 No, pero me gustaría que los comprara. 3 No, pero me gustaría que las oyeran. 4 No, pero me gustaría que la vieran. 5 No, pero me gustaría que la dijera. 6 No, pero me gustaría que los siguiera.

29.1 Pepe quiere saber si quieres ir al cine el domingo. María, si quieres ir a casa de José mañana. Julio, si sabes a qué hora llega el avión de David. Y Marcos, si te llamó Encarna ayer. Pues si has comido la fabada que estaba en la nevera, si has ido a casa de Luis, si puedes recogerla en la peluquería esta tarde a las siete y si has llamado a la abuela. **29.2** 1 si me duele la cabeza. si le duele la cabeza. 2 si mi hermano está en casa. si su hermano está en casa. 3 si puede ir al teatro conmigo. si puede ir al teatro con ella. 4 si me he levantado temprano. si se ha levantado temprano. 5 si han vuelto ya mis padres. si han vuelto ya sus padres. 6 si le puedo mandar mi informe. si le puedo mandar su informe. 7 si ayer les/los esperé. si ayer les/los esperó. 8 si el domingo volveré con ellas. si el domingo volverá con ellas. 9 si el libro es para él. si el libro es para él. 10 si me llama a las dos. si le llama a las dos. **29.3** Le pregunta (que) dónde la conoció, (que) con quién estaba, (que) cómo se llama, (que) cuántos años tiene, (que) cómo es, (que) de dónde es, (que) dónde vive, (que) cuál es su dirección, (que) en qué trabaja, (que) qué le dijo, (que) qué hicieron, (que) adónde fueron, (que) hasta qué hora estuvo con ella, (que) cuándo la va a volver a ver y (que) cuándo se la presenta. **29.4** 1 ¿A qué horas quieres cenar? 2 ¿Qué estáis haciendo? 3 ¿Te gustó la película? 4 ¿Os quedáis a cenar? 5 ¿Cuándo me llamarás? 6 ¿Adónde vamos a ir esta noche? 7 ¿Me puede ayudar? 8 ¿Habéis terminado el ejercicio? 9 ¿Cómo se llama su hermana? 10 ¿Dónde está mi mochila?

30.1 1 que no puede salir porque tiene mucho trabajo. 2 que no ha comido. 3 que el año pasado iban al gimnasio todos los miércoles. 4 que sale del trabajo a las seis. 5 que el martes estuvo con José. 6 que este verano irá a casa de Marcos. 7 que ha llegado tarde porque ha perdido el autobús. 8 que el miércoles hablaron con el director. 9 que el viernes llamará a los clientes de Segovia. 10 que cierre la ventana. 11 que el curso que viene hará un máster de informática. 12 que hagamos el ejercicio 9. **30.2** 1 le duele la cabeza. 2 su primo la llamará el martes. 3 Julio ha ido al cine con ella. 4 que me esperará hasta las ocho. 5 que se quedará conmigo esta tarde. 6 que ayer me vio por la calle. 7 que le enseñe mis fotos. 8 que a ella le encanta salir con sus amigos. **30.3** 1 Me dijo que no podía salir porque tenía mucho trabajo. 2 Me dijo que no había comido. 3 Me explicaron que el año pasado iban al gimnasio todos los miércoles. 4 Me comentó que salía del trabajo a las seis. 5 Me dijo que el martes había estado con José. 6 Me comentó que este verano iría a casa de Marcos. 7 Me contó que había llegado tarde porque había perdido el autobús. 8 Me comentaron que el miércoles habían hablado con el director. 9 Me dijo que el viernes llamaría a los clientes de Segovia. 10 Me pidió que cerrara la ventana. 11 Me dijo que el curso que viene haría un máster de informática. 12 Nos aconsejó que hiciéramos el ejercicio 9. **30.5** 1 vuelva pronto. volviera pronto. 2 lean el capítulo 7. leyeran el capítulo 7. 3 me digas la verdad. me dijeras la verdad. 4 tenga cuidado. tuviera cuidado. 5 salga con Patricia. saliera con Patricia. 6 siga por la calle del Sol. siguiera por la calle del sol. 7 se acerquen. se acercaran. 8 sea prudente. fuera prudente. 9 se pongan el abrigo. se pusieran el abrigo. 10 repita las palabras. repitiera las palabras. 11 le dé las llaves a Juan. le diera las llaves a Juan. 12 me quede con él. me quedara con él.